워크북
02

치매예방을 위한 뇌훈련

실버인지놀이

(주)한국실버교육협회

머리말

고령화 사회로의 진입은 치매 등 각종 노인과 관련된 과제들을 양산하고 있다. 노년기에는 은퇴, 경제상황의 변화, 사회적 지위 변화, 신체적 노화, 가족관계의 변화, 질병 등 다양한 변화를 경험하게 된다. 이러한 변화를 수용하고 잘 적응하여 행복한 노년기를 보내는 것은 현대사회 모든 노인들의 소망이며, 이를 위한 노력은 우리가 고령화 사회를 대비하는 가장 기본적인 자세일 것이다.

알려진 바와 같이 치매는 안정되고 행복한 노년기를 보내는데 가장 방해가 되는 가장 큰 원인 중의 하나이다. 치매는 자신의 생활태도나 의지와 상관없이 걸리는 병이고, 불치의 병이라 생각하고 치료를 포기하기 쉽지만 치매도 노력에 의해 예방하거나 치료할 수 있다. 음식이나 운동뿐만 아니라 뇌를 자극하는 습관도 치매의 예방과 치료에 많은 도움이 됨이 많은 연구에서 확인되고 있지만, 주위에서 손쉽게 접할 수 있고 흥미 있는 노인용 뇌 자극, 뇌 훈련 전문 교재가 많지 않은 실정이다.

이에 이 교재는 노인들의 뇌를 자극하고 인지능력을 향상시켜 치매를 예방·치료하기 위한 목적으로 개발되었다. 집중력, 지남력, 기억력, 시공간력, 판단력 등의 영역에서 초급, 중급, 고급 단계로 나누어 체계적인 훈련이 가능하도록 하였고, 다양하고 창의적인 방식의 활동과 그림, 단어, 회상용 소재들을 선택하여 적용하여 노인의 흥미를 높이고자 하였다.

이 교재의 개발 및 보급이 치매예방뿐만 아니라 노인 한 분 한 분의 건강하고 즐거운 하루하루, 나아가 행복한 노년기를 보내시는데 기여하기를 희망하며..

저자 윤소영

목차

워크북
02
치매예방을 위한 뇌훈련
실버인지놀이

실버인지놀이
초급

가위바위보

세 명이 가위 바위 보를 했습니다. 가장 많이 이긴 사람의 얼굴에 동그라미 해주세요.

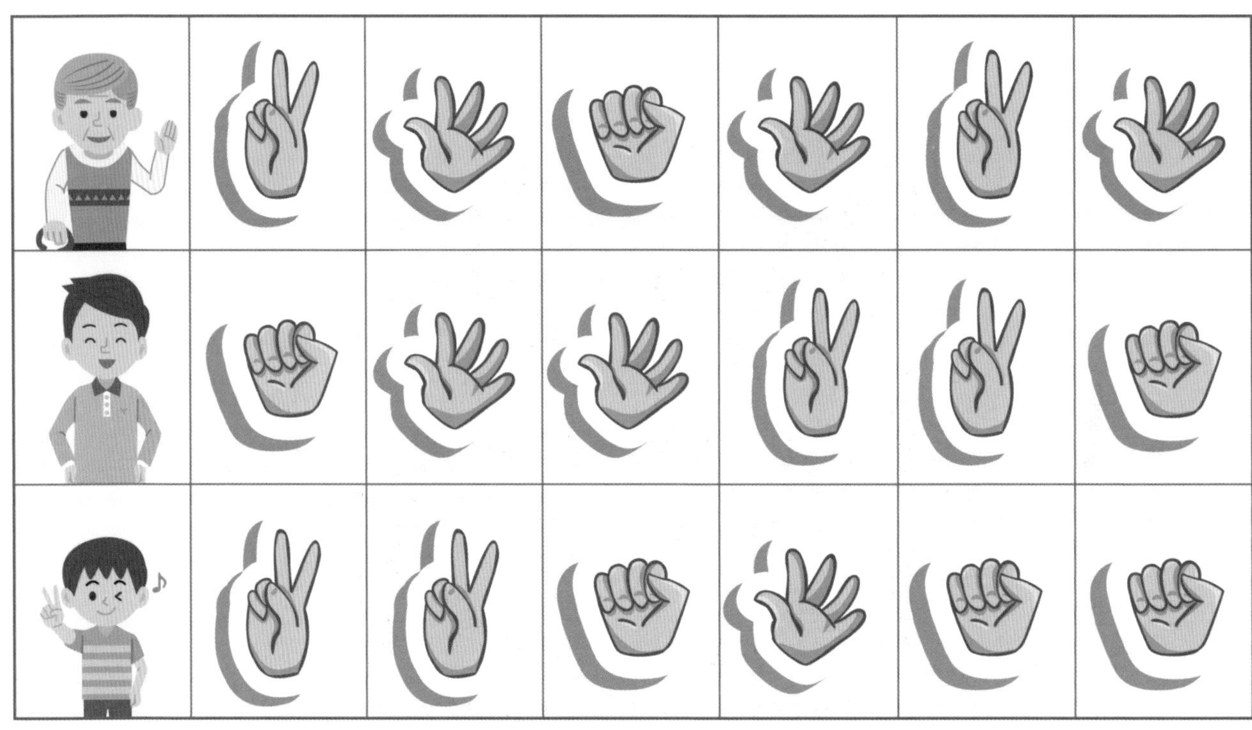

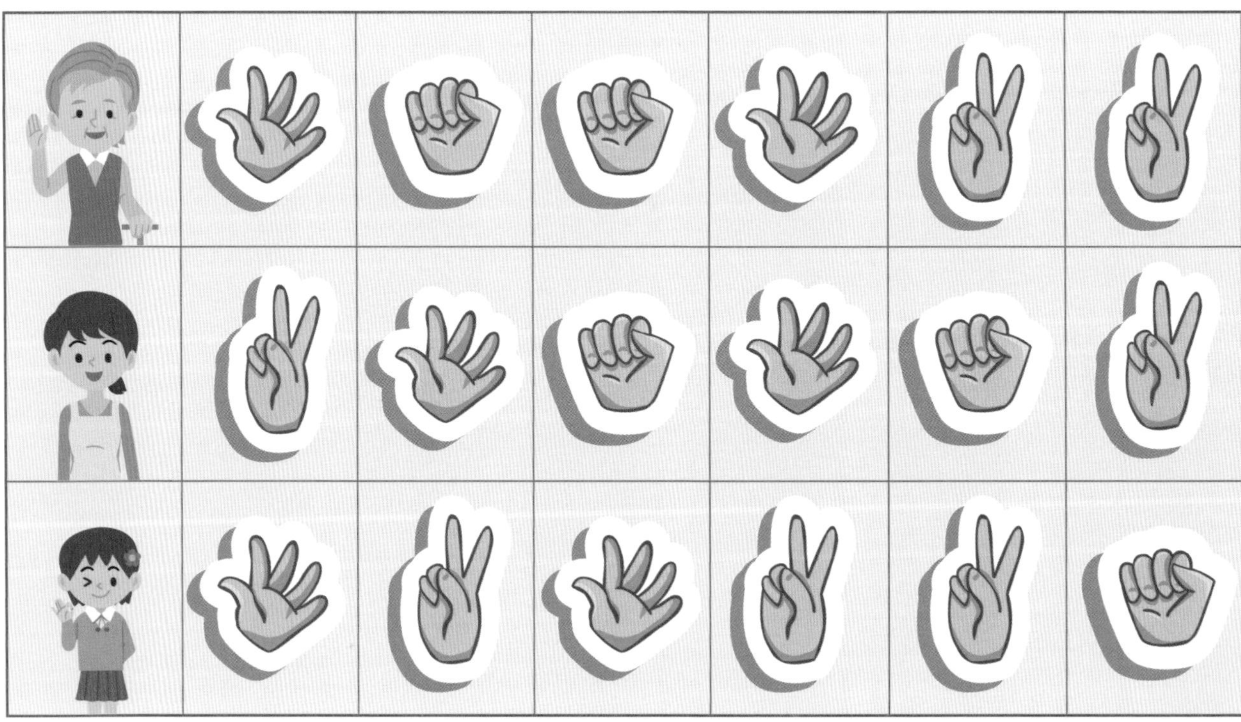

전통놀이 이름

★☆☆ 언어능력

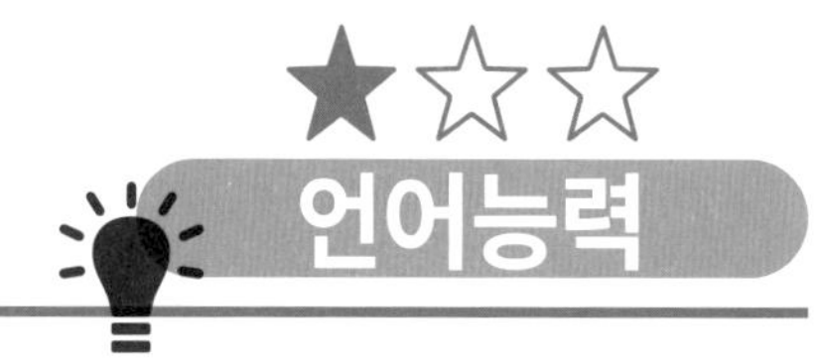

1. 다양한 전통놀이 그림을 보고 놀이 이름을 적어보세요.

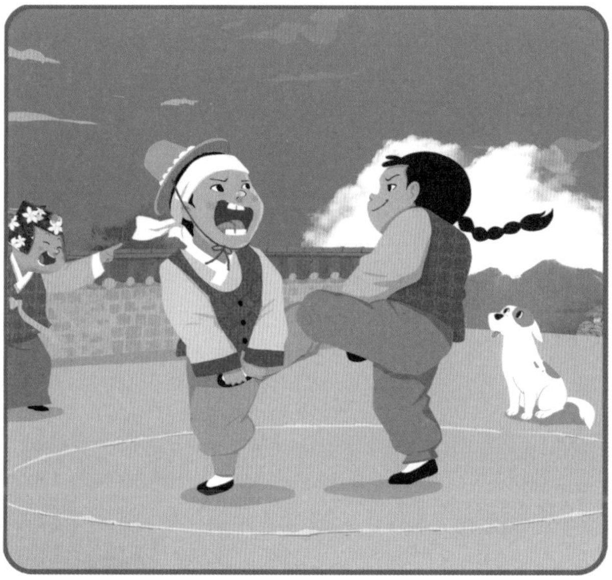

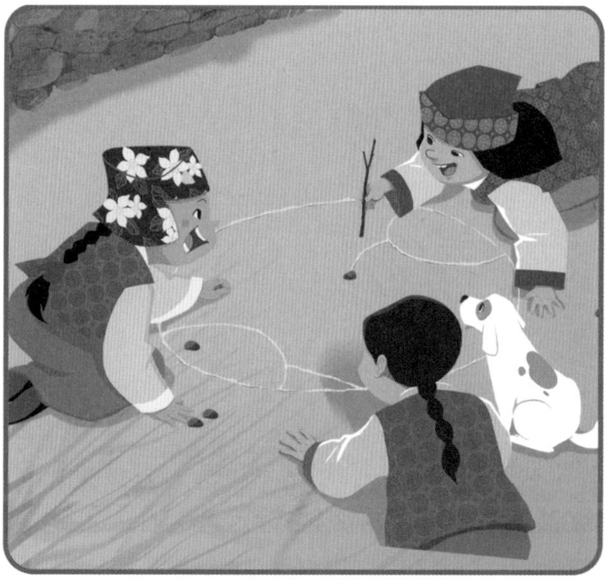

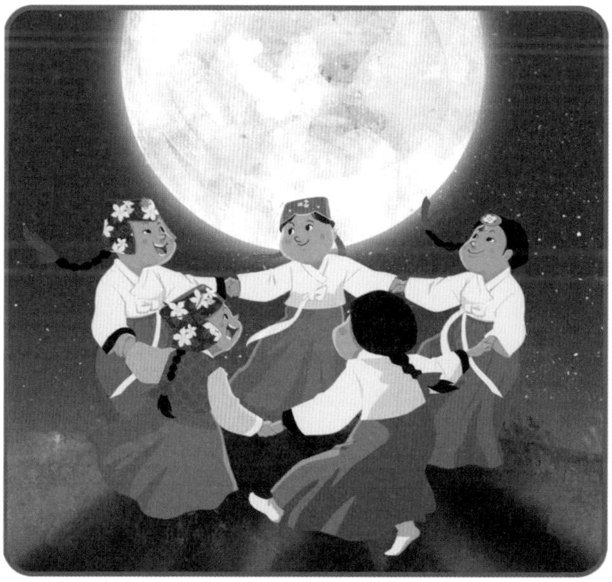

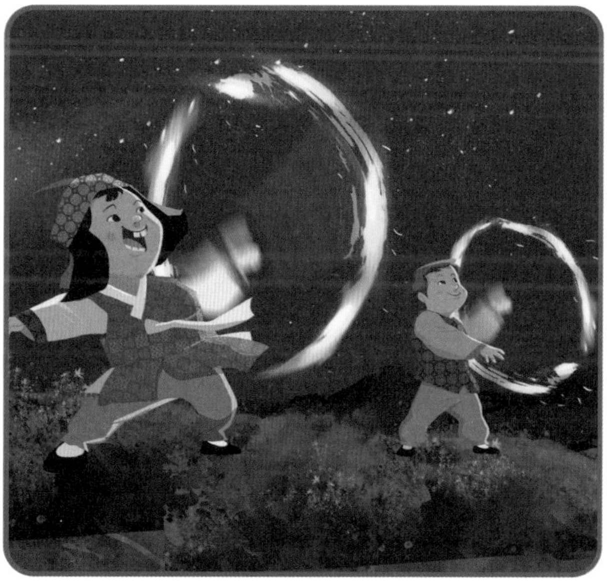

2. 전통놀이 중에서 가장 재미있게 즐겼던 놀이는 어떤 놀이였는지 이야기를 나누어보세요.

모양이 비슷한 것 연결하기

왼쪽과 오른쪽 그림과 도형을 보고 모양이 비슷한 것끼리 선으로 연결해 보세요.

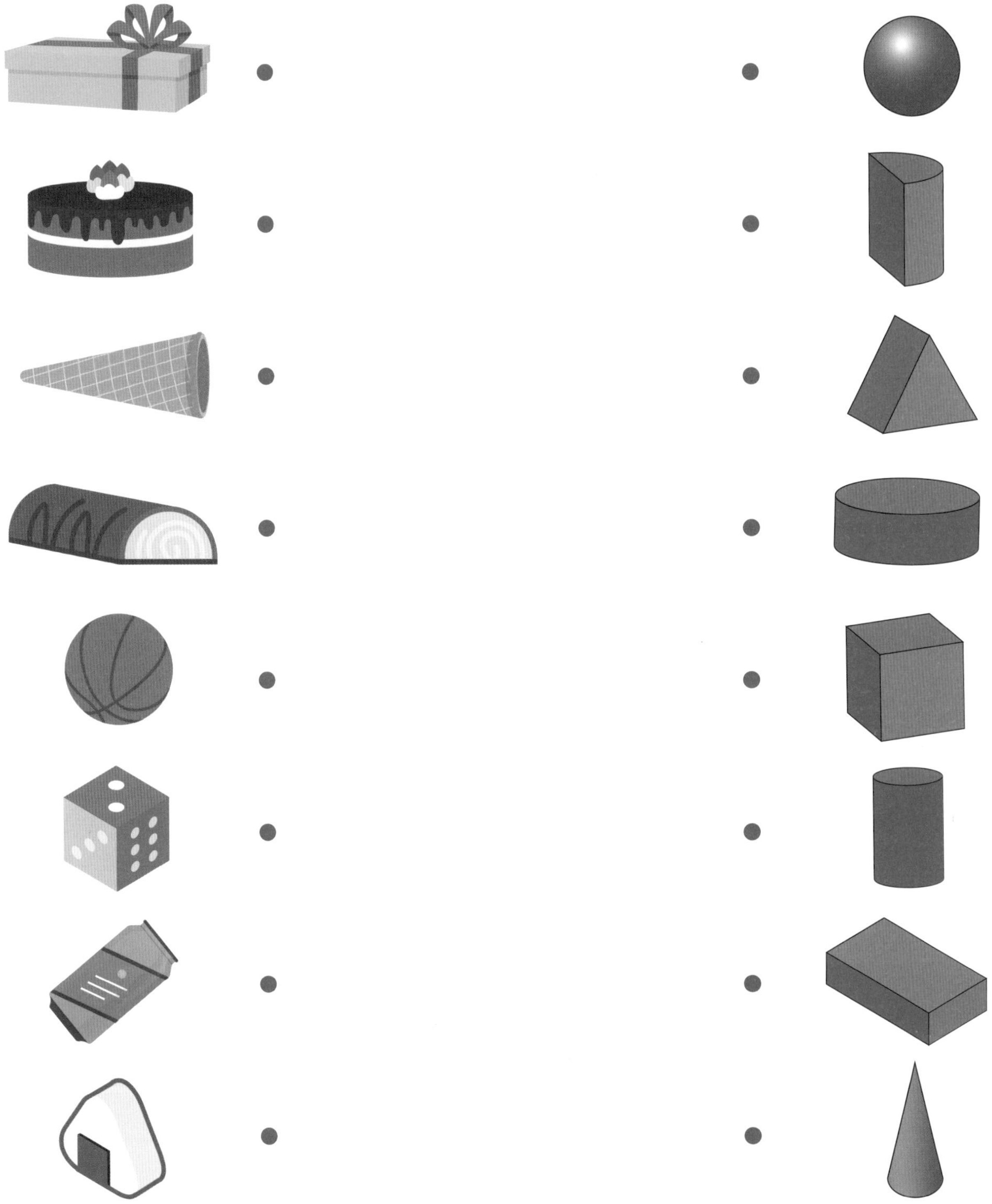

다른 그림 조각 찾기

아래 ①~④ 그림 조각 중에는 위의 그림에는 없는 그림이 있습니다. 찾아서 번호에 동그라미 해 주세요.

①

②

③

④

10이 되는 숫자 찾기

네모 칸 안에서 두 개를 더하면 10이 되는 숫자를 찾아 동그라미 해주세요.

5　2　7　8　4

2　7　4　9　6

1　3　5　6　7

6　5　7　2　5

3　8　9　4　1

가장 기억에 남는 순간

★☆☆ 기억력

①칸에 인생에서 가장 기뻤던 일을 쓰거나 그려 보세요.
②칸에 인생에서 가장 기억에 남는 일을 쓰거나 그려 보세요.

③칸에 인생에서 가장 속상했던 일을 쓰거나 그려 보세요.
④칸에 인생에서 가장 다시 돌아가고 싶은 때를 써 보세요.

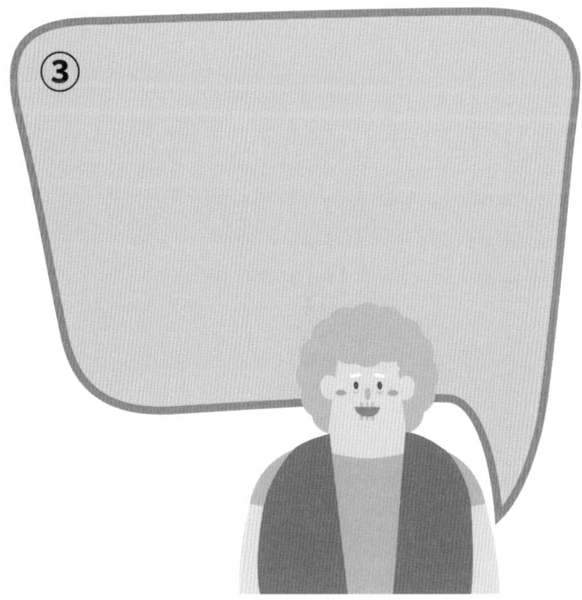

색깔 맞히기

위의 그림을 그리는데 사용한 크레파스는 어떤 것인지 찾아서 번호에 동그라미 해주세요.

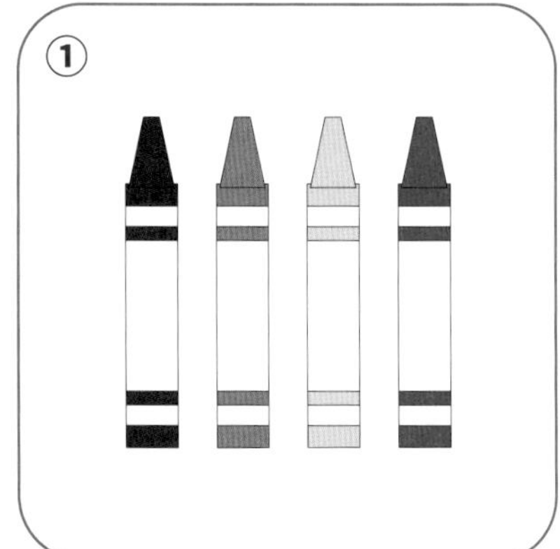

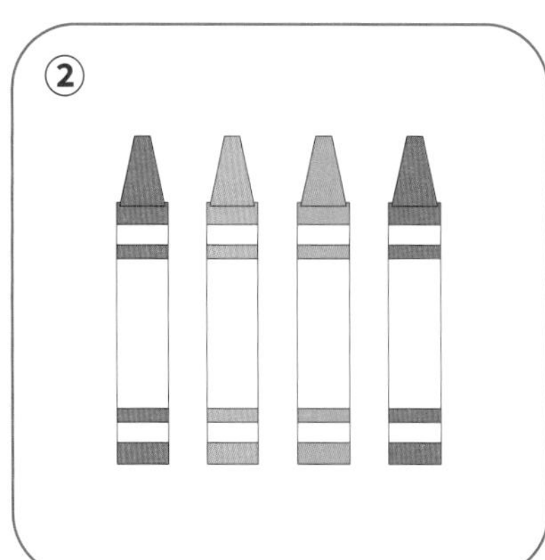

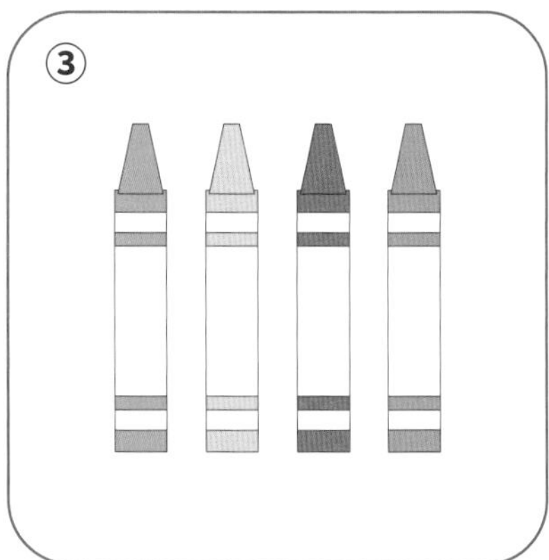

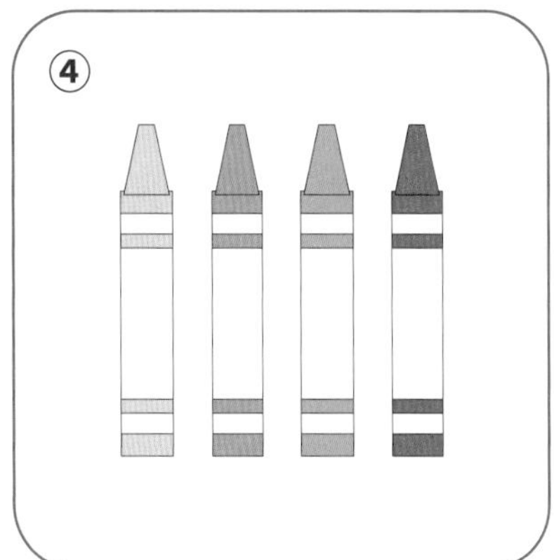

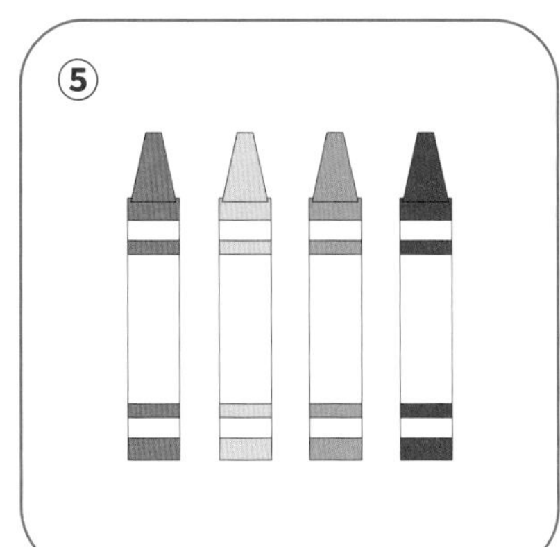

선 연결하기

왼쪽의 그림과 같은 그림이 되도록 오른쪽 네모 안의 선을 연결해 주세요.

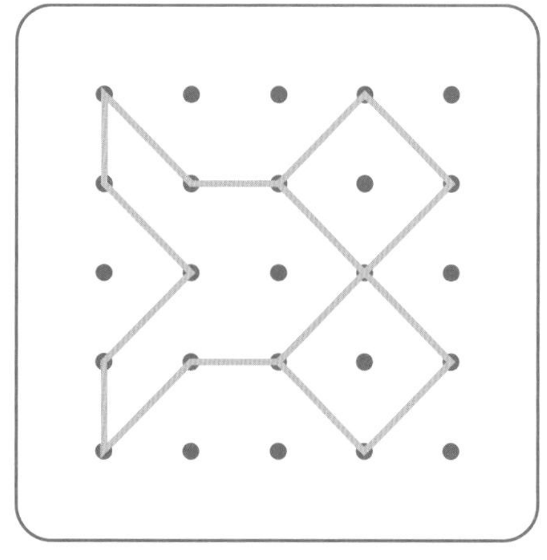

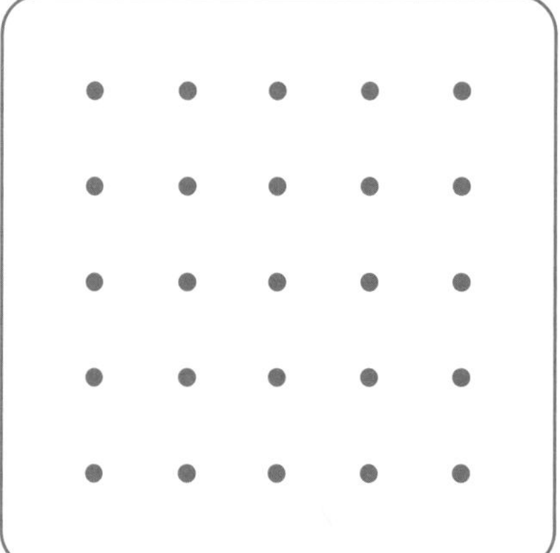

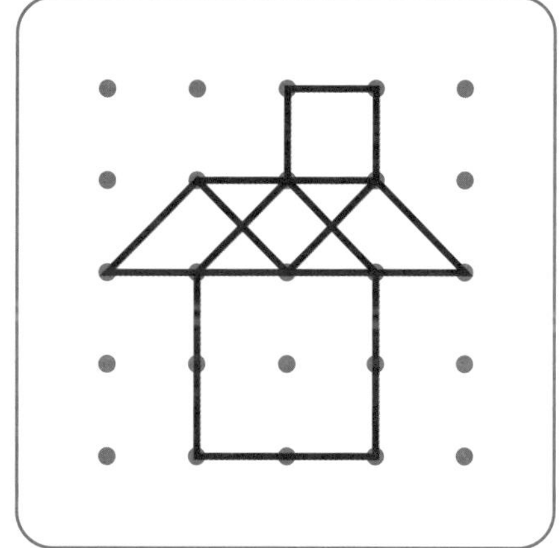
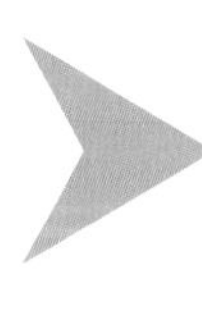
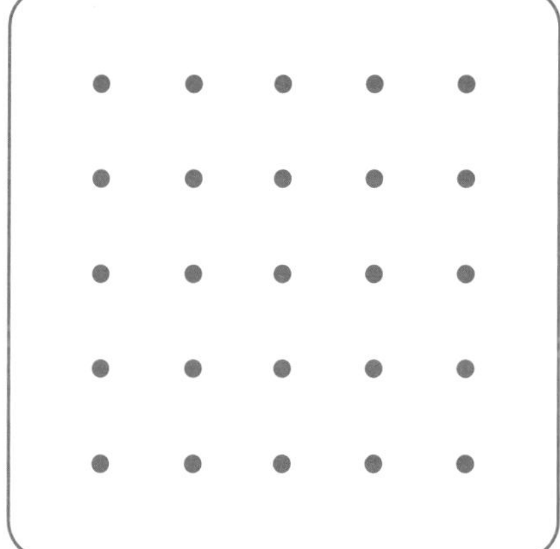

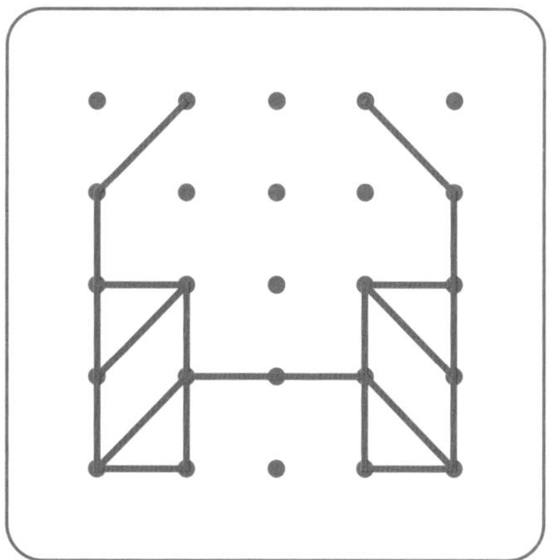

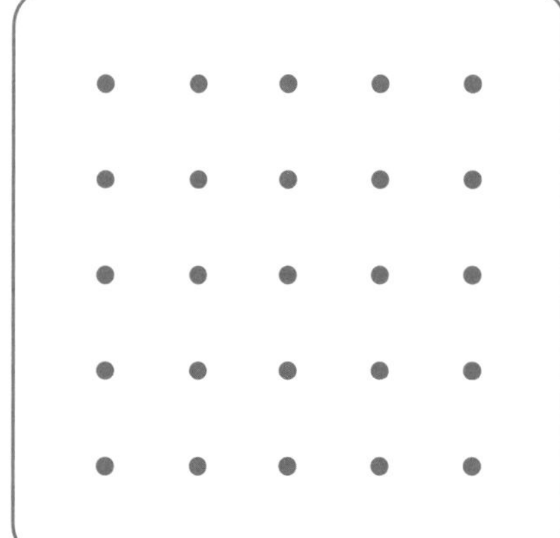

기호로 바꾸기

★☆☆ 집중력

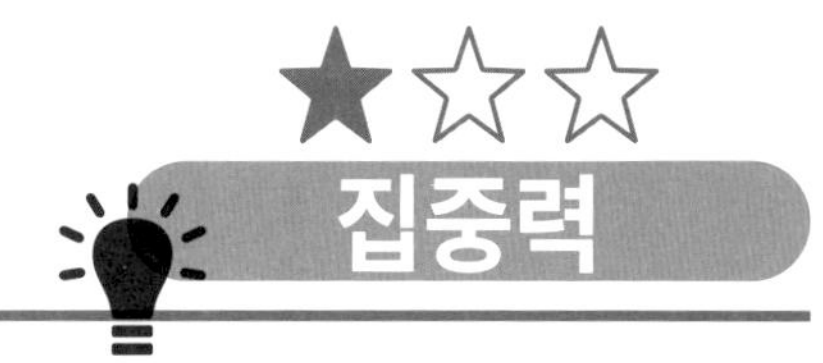

위의 동물 그림아래에는 기호가 그려져 있습니다. 위의 그림과 같이 아래의 동물 그림의 네모 칸에 기호를 그려보세요. 왼쪽부터 가능한 빨리 그려보세요.

(가능하면 모두 그리는데 얼마나 걸리는지 시간을 재어보세요.) 분 초

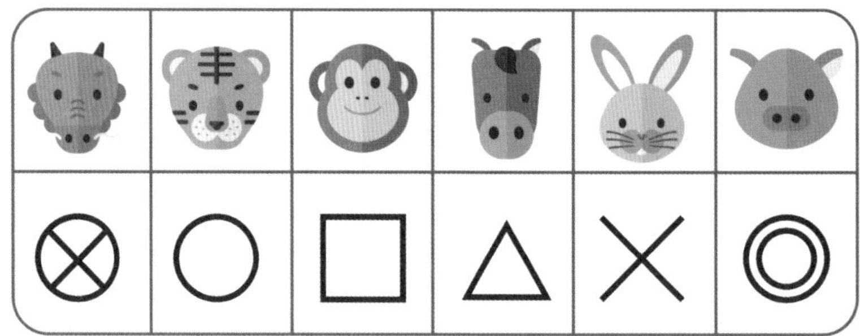

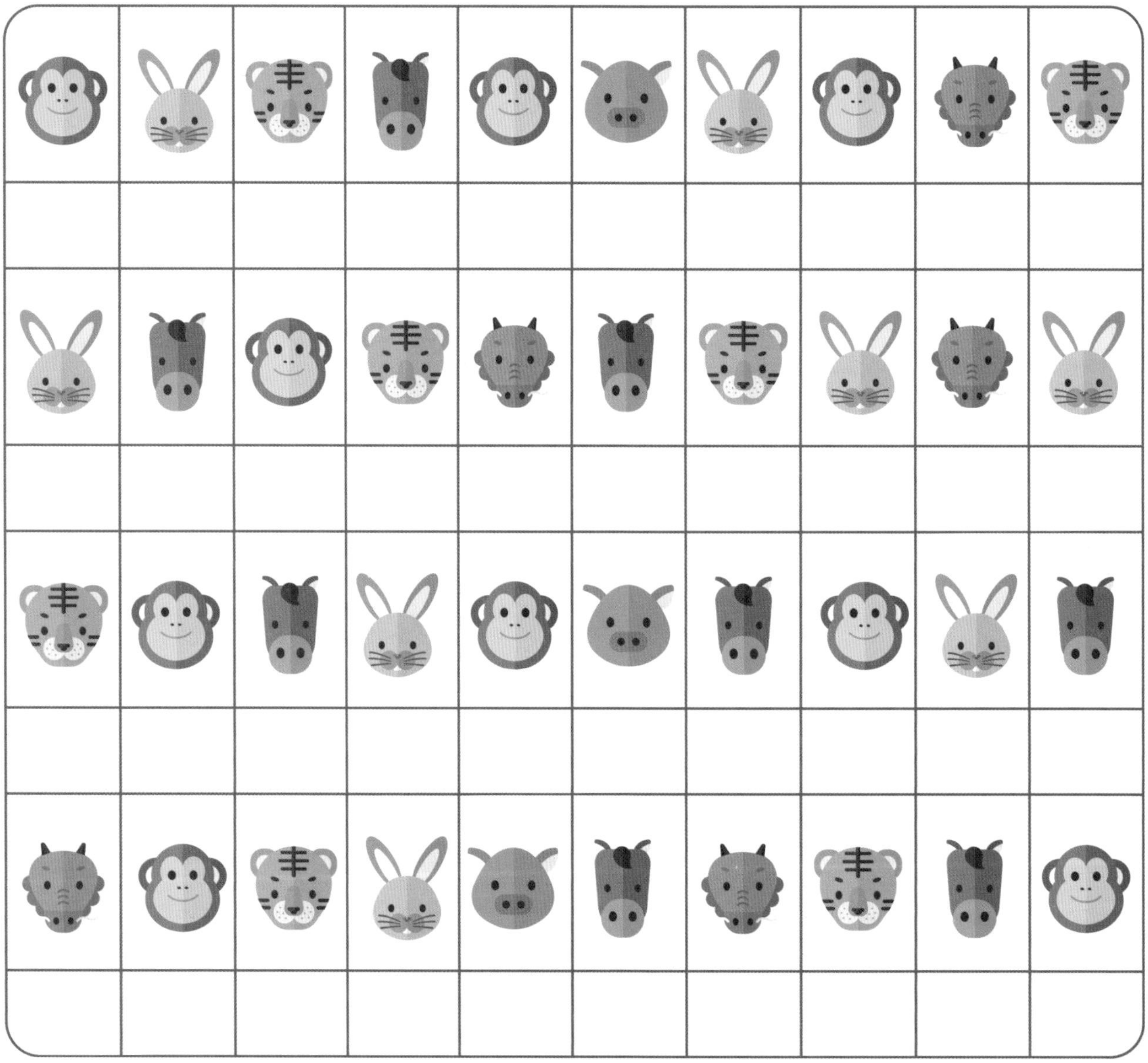

가운데 들어갈 글자 채우기

빈 칸에 공통으로 들어갈 말을 찾아 적어 넣어주세요.

	엿	
화		실
	수	

	자	
냉		고
	면	

	만		
정		리	
	무		
		아	지

자	
린	
	향
비	

따라 그리기

★☆☆ 시공간력

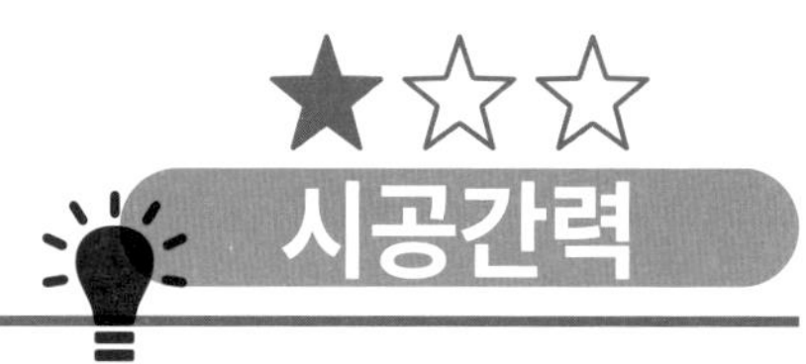

1. 왼쪽 그림과 같은 그림을 오른쪽 칸에 그려주세요.
2. 다 그린 후 마음에 드는 색으로 색칠해 주세요.

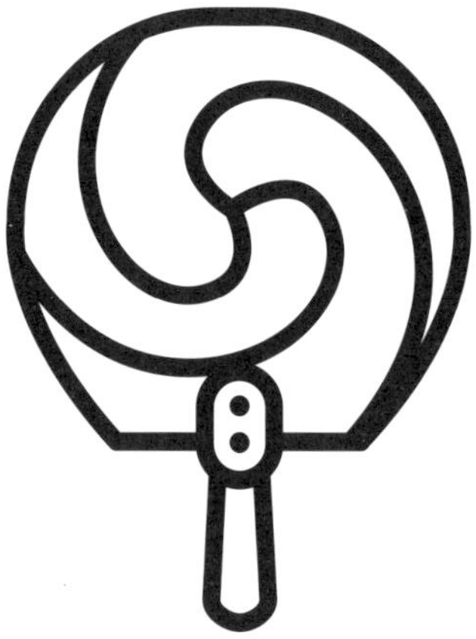

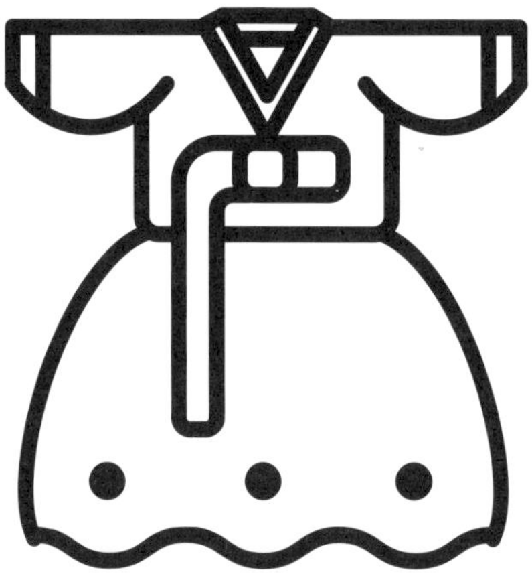

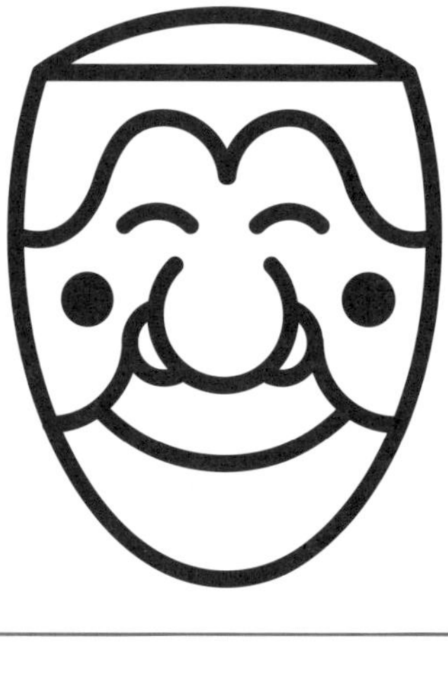

같은 그림, 다른 그림 찾기

왼쪽 그림과 같은 물건을 오른쪽 칸에서 찾아 동그라미 해 주세요.
(그림의 방향이 바뀌거나 위치가 바뀔 수 있습니다.)

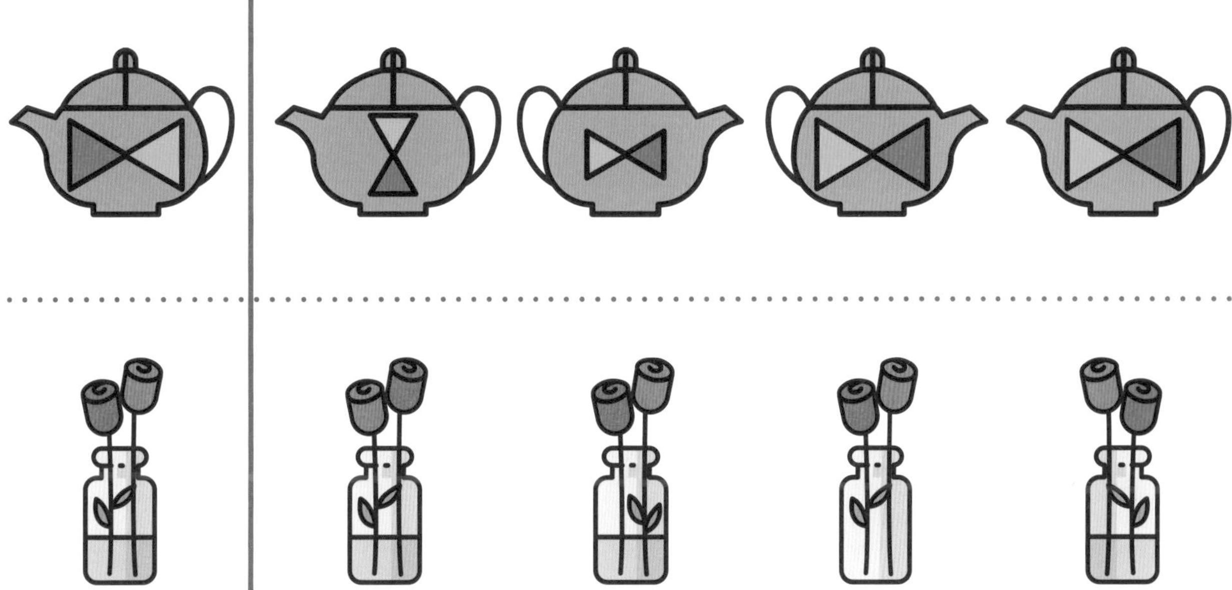

왼쪽 그림과 다른 그림을 오른쪽 칸에서 찾아 동그라미 해 주세요.

몇 시 였을까요?

★☆☆ 판단력

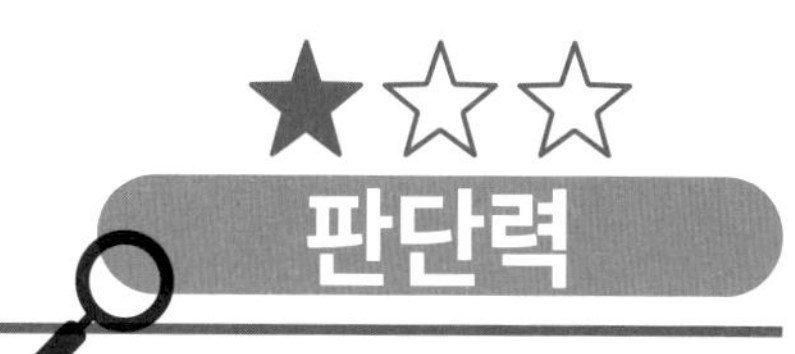

시계 그림이 갈기갈기 찢어져 버렸습니다.
시계가 몇시를 가리키고 있었는지 찢어진 그림을 보고 찾아서 ◯표 해주세요.

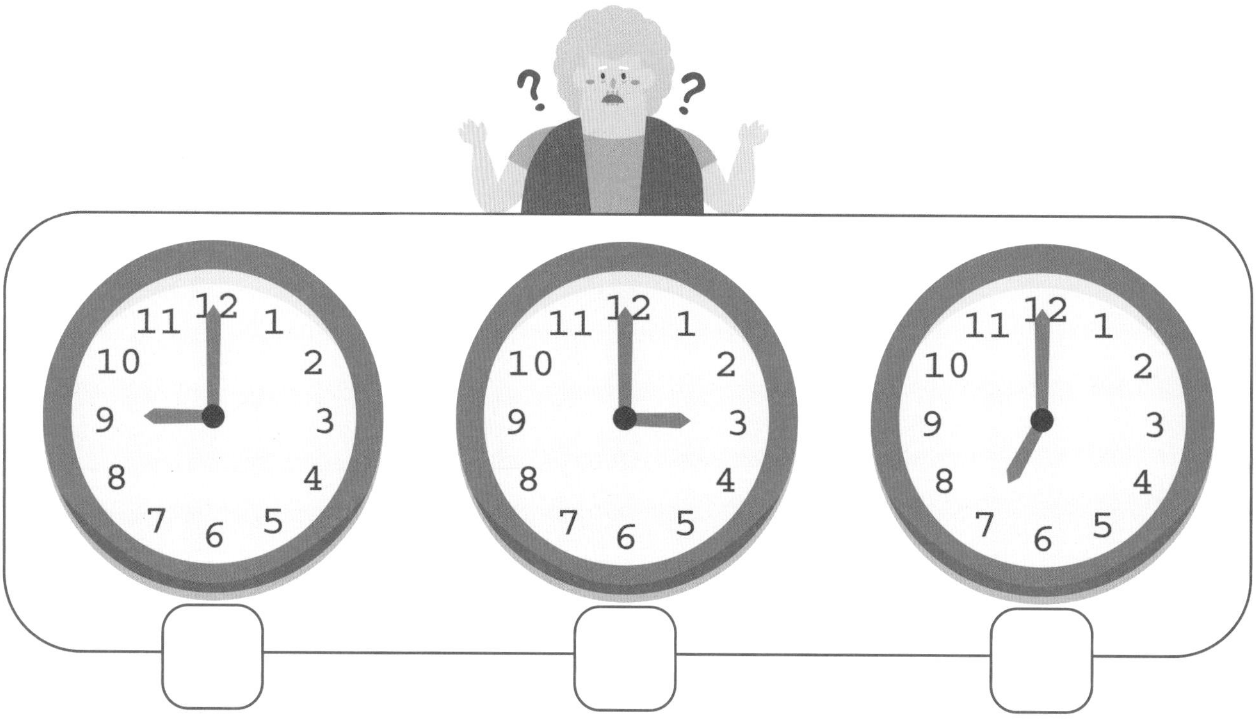

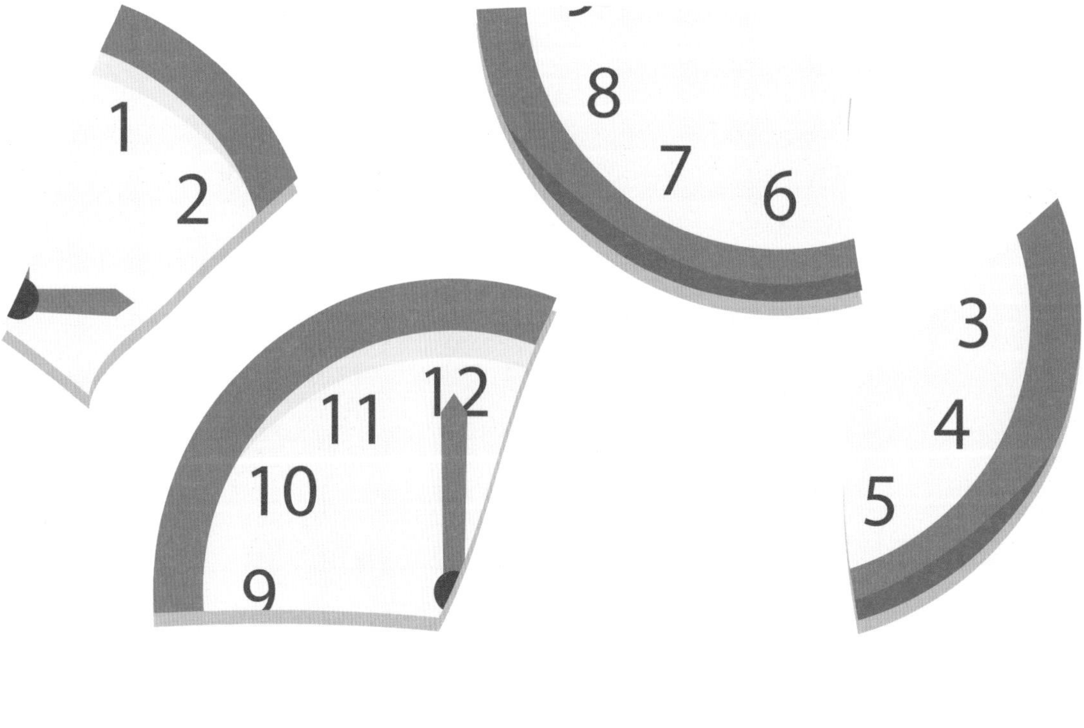

길이 재기

★☆☆ 계산력, 집중력

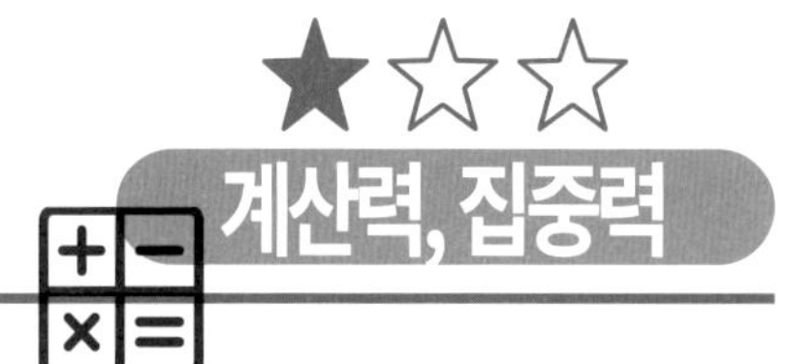

1. 아래 리본 중에서 가장 길이가 긴 리본에 ◯표 해주세요.

2. 아래 기본 중에서 가장 길이가 짧은 리본에 □표 해주세요.

3. 두 리본 길이의 합은 몇 칸 일까요? [　　　　] 칸

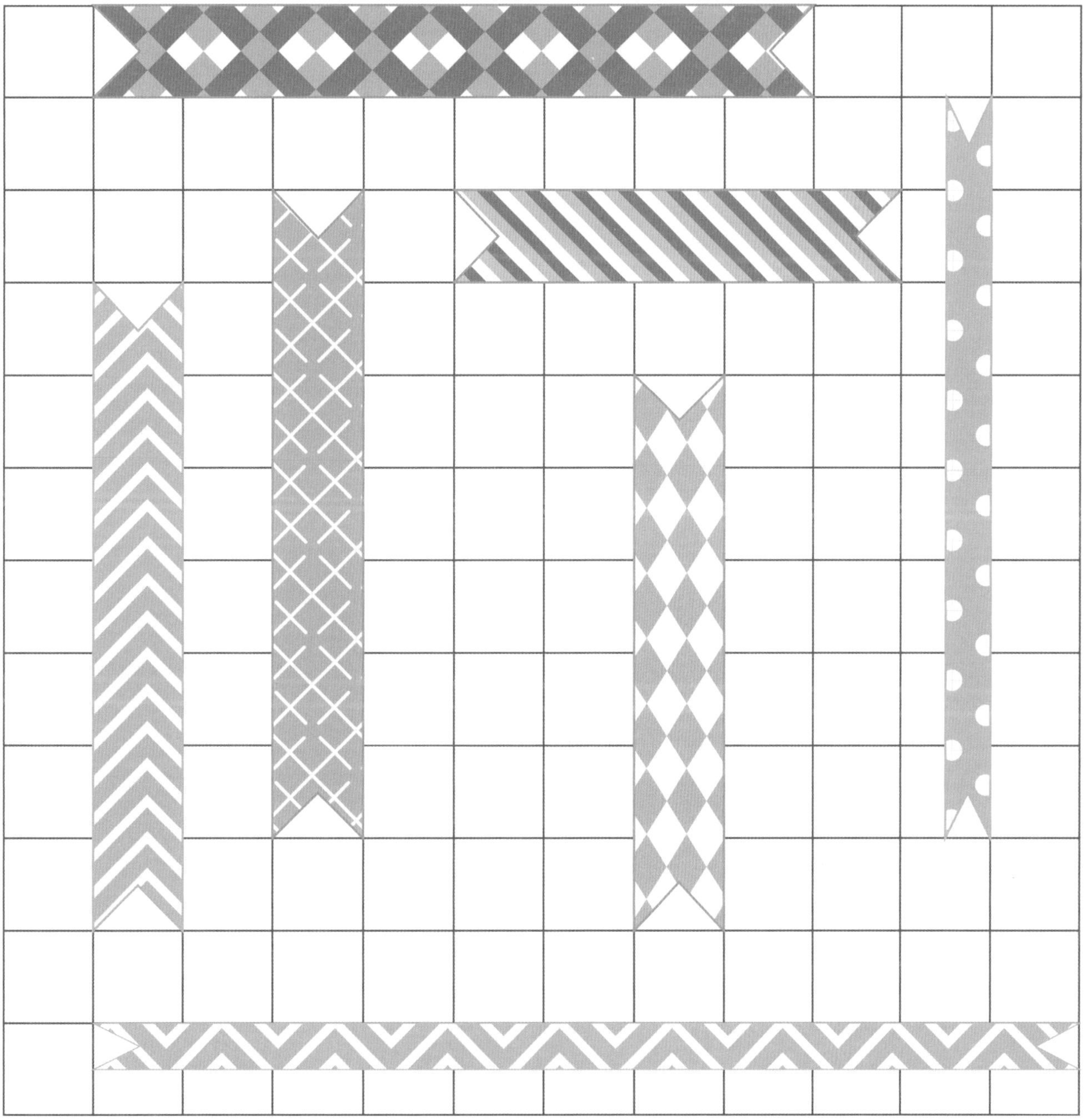

차 이름과 수 맞히기

1. 아래 그림에는 여러 가지 차 종류 그림이 있습니다. 차 종류별 이름을 적어보세요.
2. 종류별로 각각 몇 대 있는지 세어보세요.
3. 차는 총 몇 대 인가요? ☐ 대

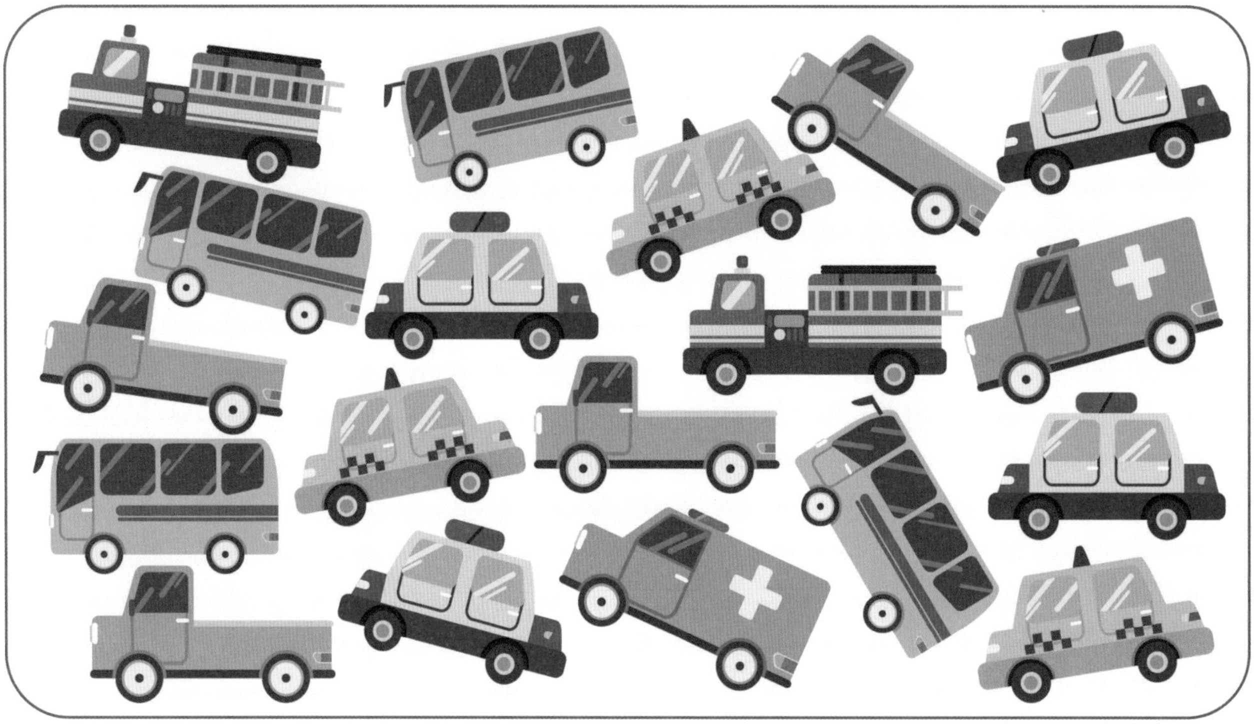

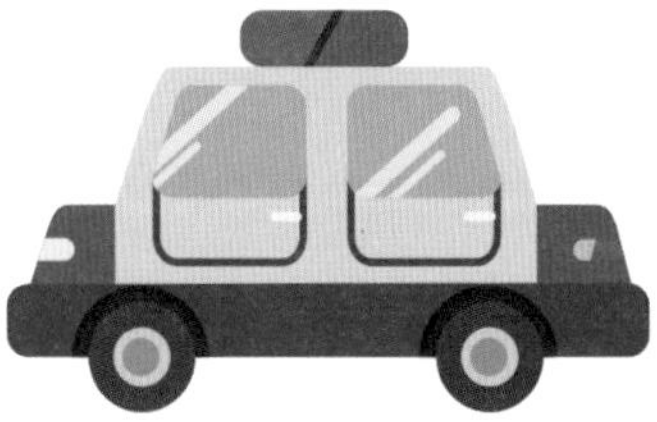

대

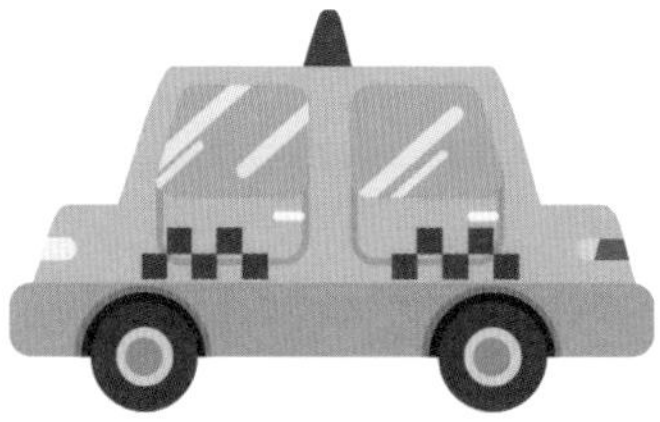

대

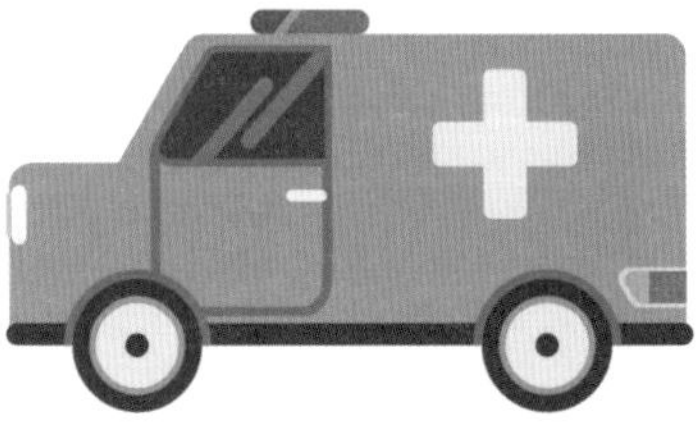

대

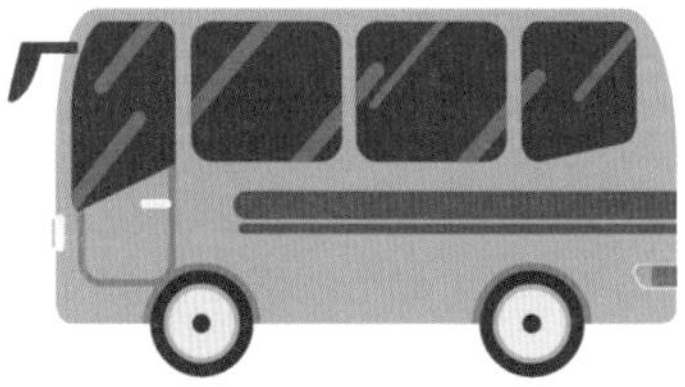

대

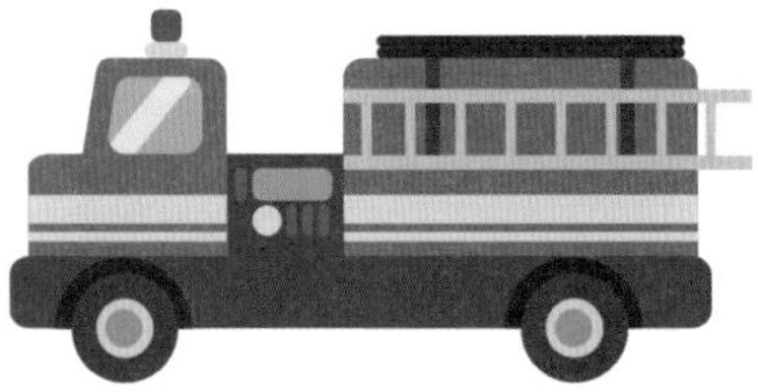

대

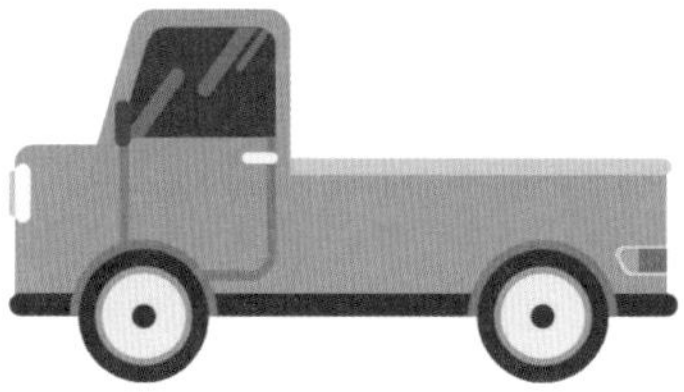

대

다른 부분 찾기

위의 그림과 아래의 그림 중 서로 다른 부분을 찾아 아래 그림에 ◯표 하세요.

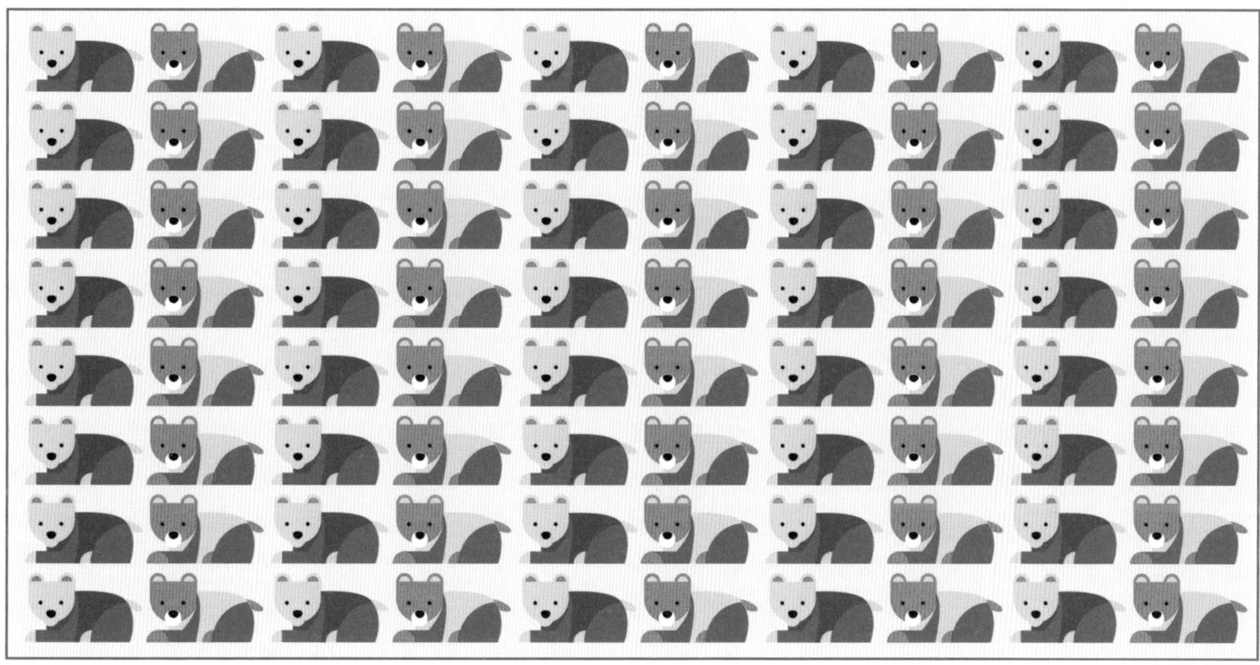

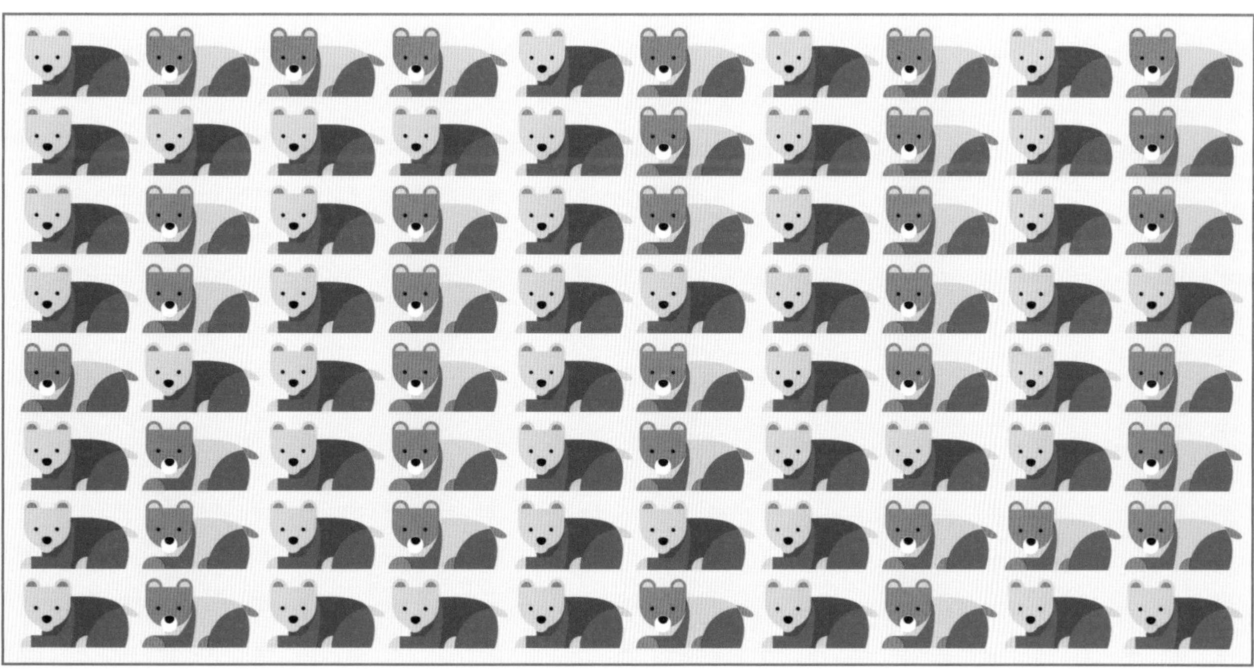

색칠하기

★☆☆ 집중력

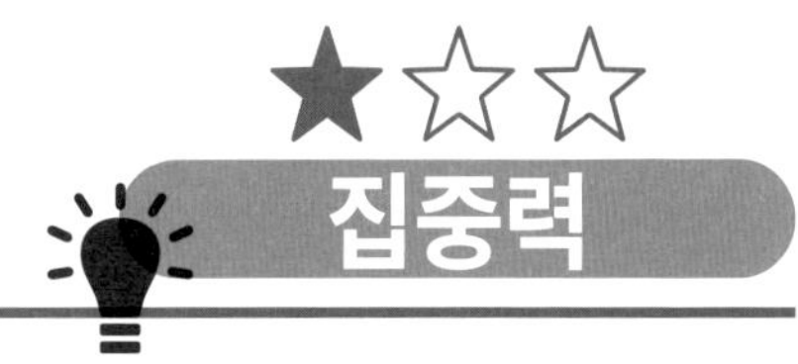

1. 네모 안의 그림은 어떤 장면을 나타내는 그림인가요?
2. 그림을 마음에 드는 색으로 칠해보세요.

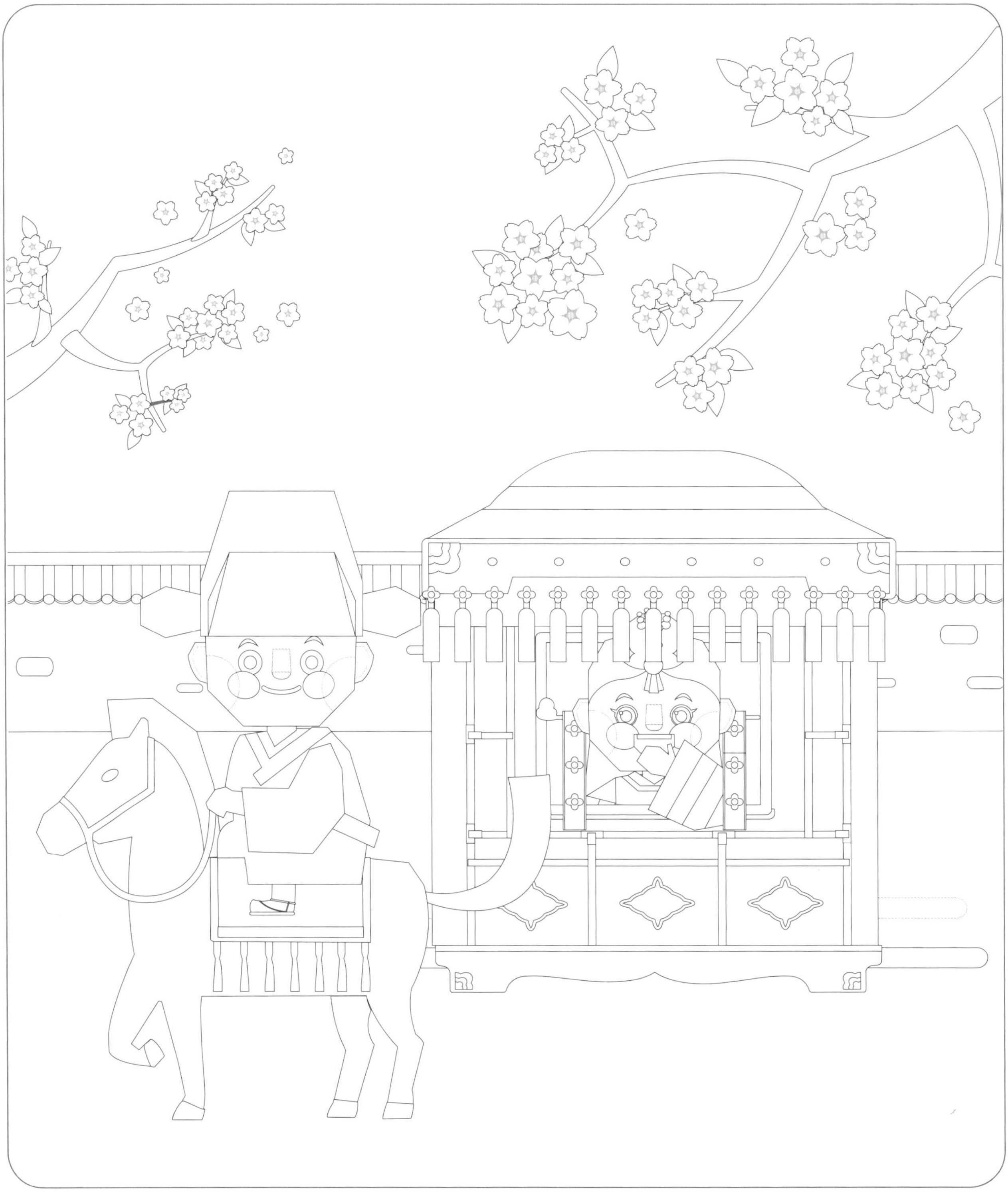

실버인지놀이
중급

같은 그림 찾기

네 개의 그림 중 같은 그림이 두 개 있습니다. 서로 같은 그림 두 개를 찾아 ◯표 해주세요.

관련 있는 것끼리 연결하기

1. 왼쪽 그림과 관련 있는 그림을 오른쪽에서 찾아서 선으로 연결해 보세요.
2. 그림의 이름을 왼쪽부터 아래로 차례대로 이야기해 보세요.

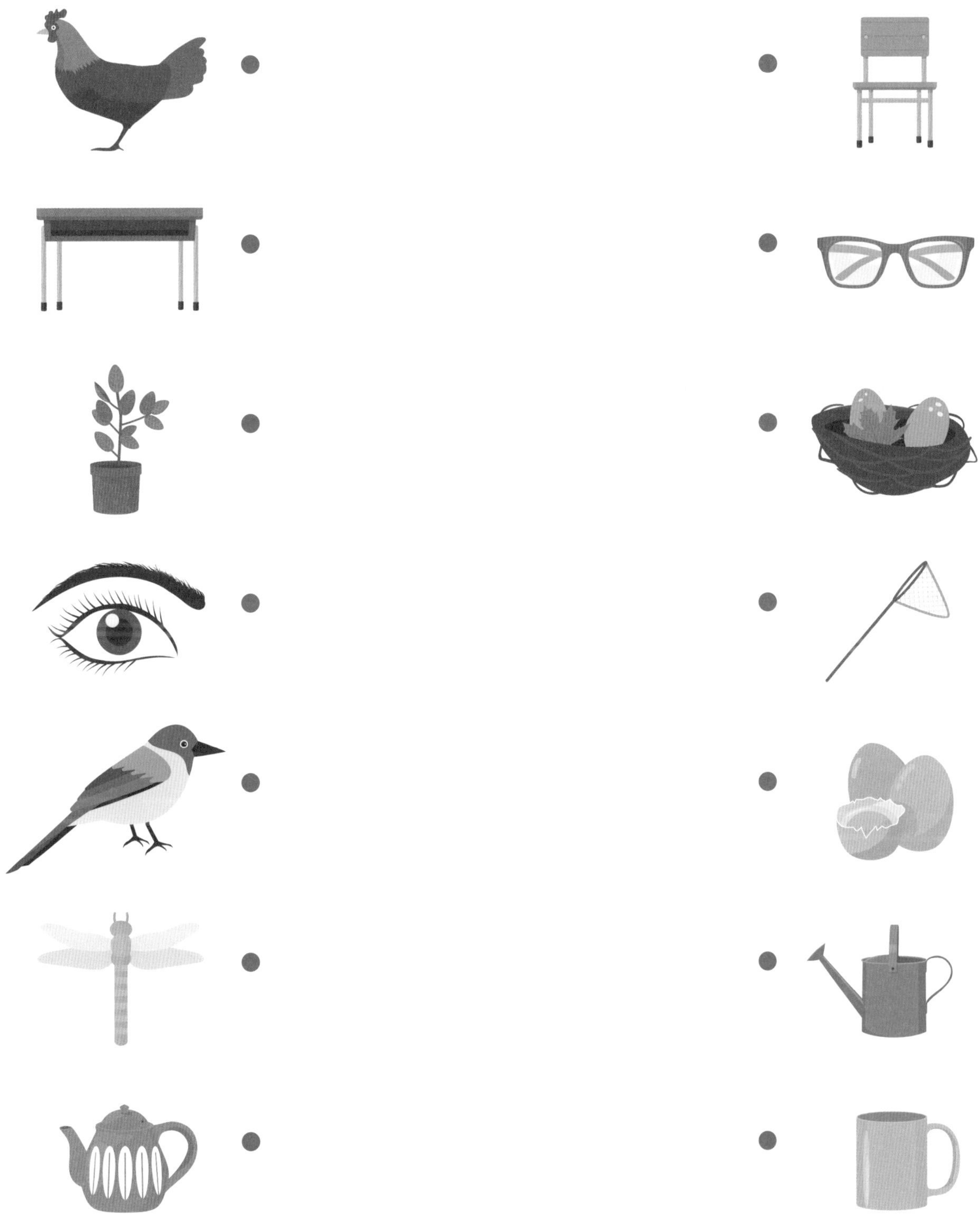

개수 더하기

왼쪽 그림의 숫자 개수가 되게 하려면 오른쪽 그림에서 어느 것과 어느 것을 합쳐야하는지 두개씩 찾아서 ◯표 해보세요.

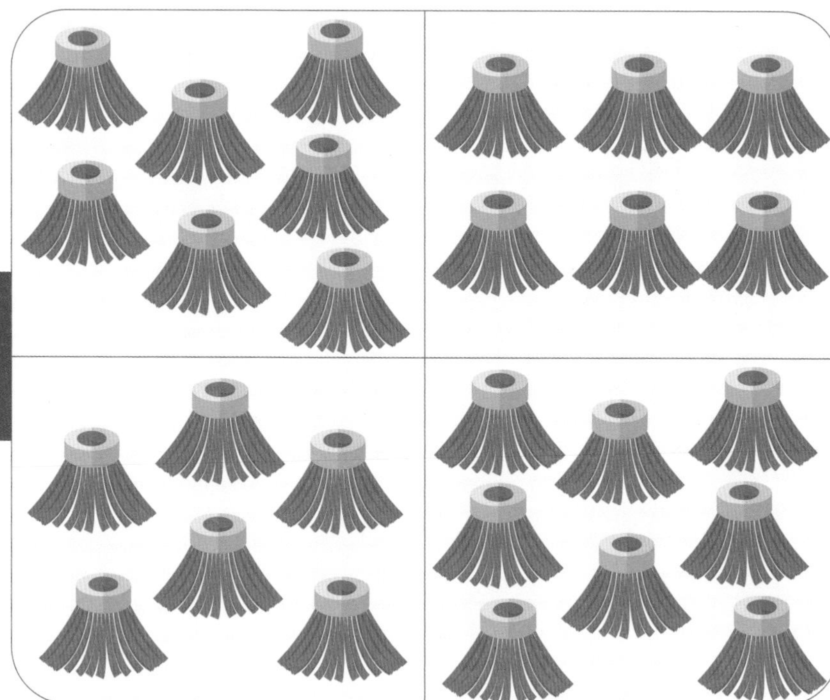

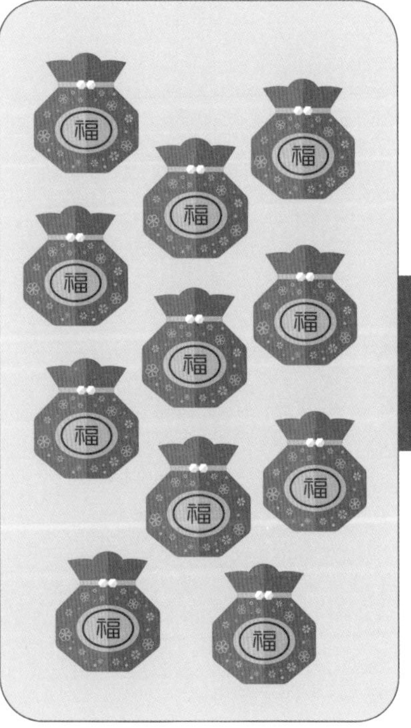

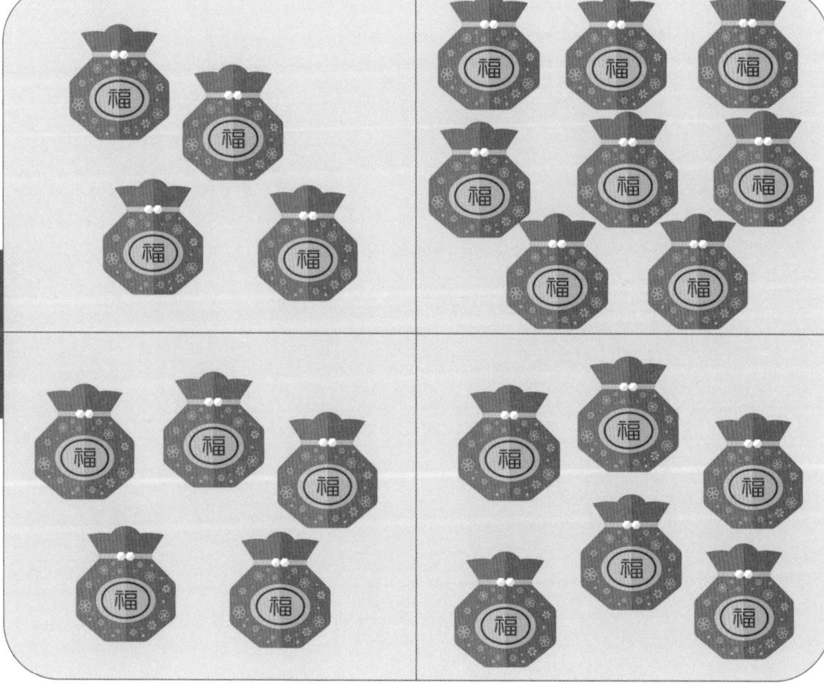

단어 떠올리기

왼쪽 그림을 보고 이름을 써보세요. 왼쪽 단어와 같은 음으로 시작하는 단어를 빈 칸에 3개씩 써보세요.

사물	이름	같은 음으로 시작하는 단어

빈 부분 채워 그리기

아래 그림에는 위쪽 그림에서 빠진 그림이 다섯 군데 있습니다.
위 그림과 아래 그림이 같은 그림이 되도록 아래 그림에 빠진 부분을 그려 넣어주세요.

숫자 이어가기

★★☆ 수리능력

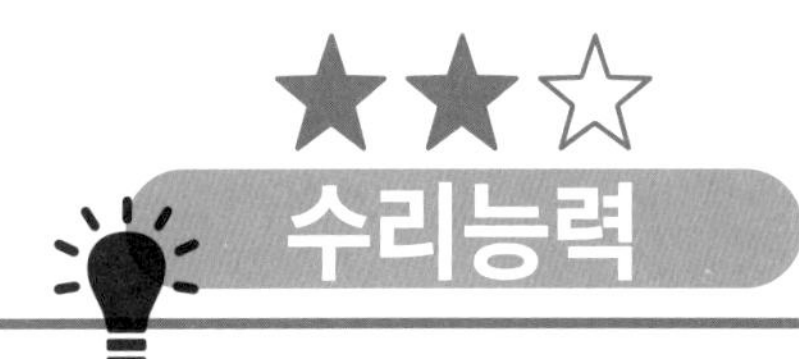

1. 숫자를 1부터 순서대로 이어보세요.
2. 마지막 숫자가 어떤 숫자인지 적어보세요.

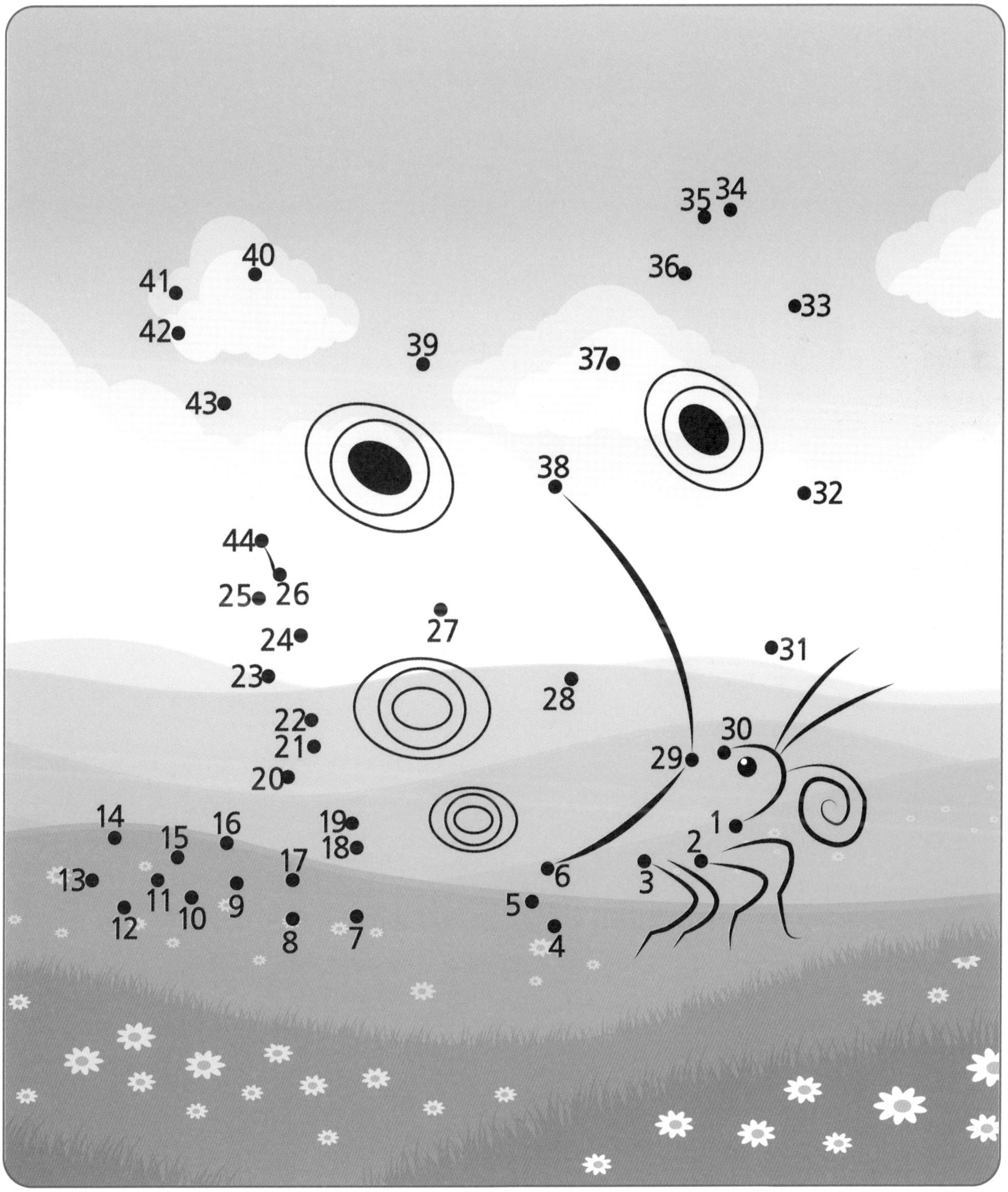

같은 조합 찾기

위의 그림과 같은 조합의 빵 쟁반을 아래 그림에서 찾아서 번호를 적어주세요.

정 답

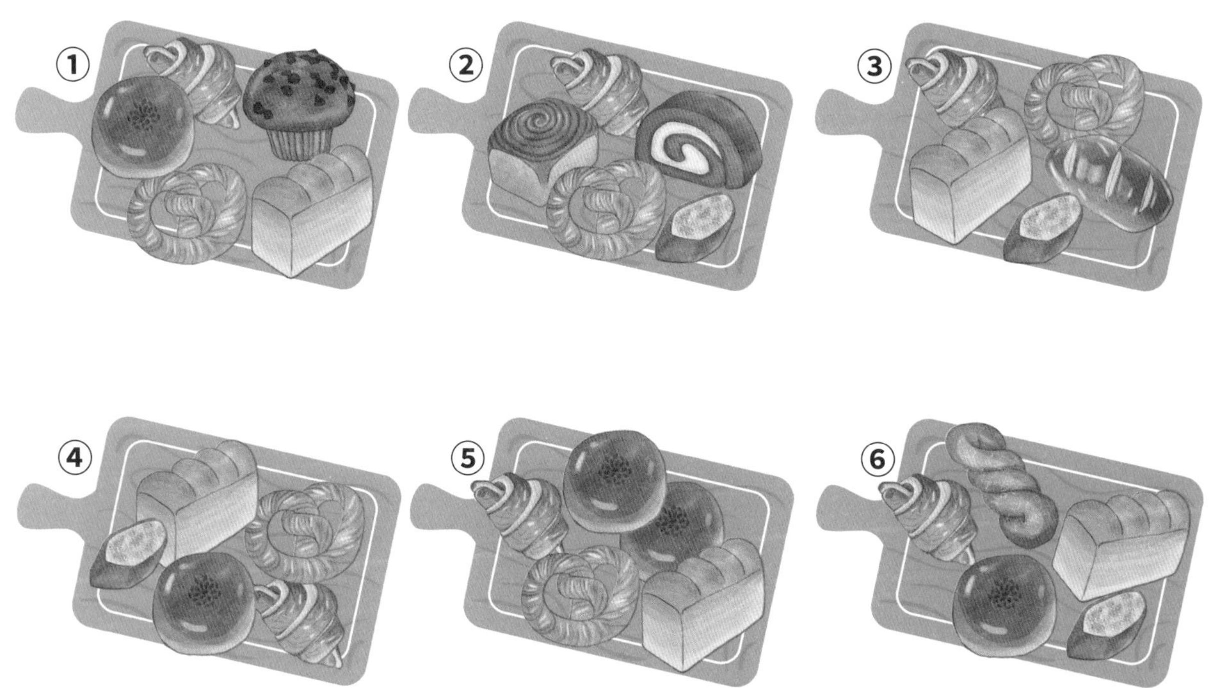

규칙 따라 채우기

각 숫자에는 정해진 색칠 규칙이 있습니다. 규칙에 맞게 정해진 모양대로 아래 칸에 색칠해보세요. 숫자가 없는 칸은 그대로 비워두세요.

규칙

1= 

2= 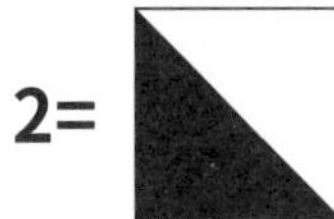

3= 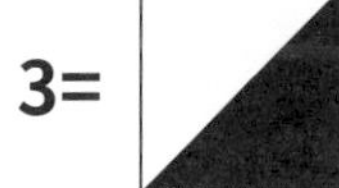

4= 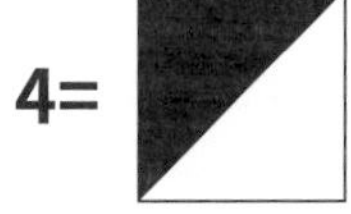

5=

		3	1	1	2				
		5	1	1	4				
						3	1	1	2
		3	2			1	1	1	1
	3	1	1	2		5	1	1	4
3	1	1	1	1	2		1	1	
	1	1	1	1			1	1	3
	1	4	5	1			1	1	4
	1	2	3	1			1	1	
	1	1	1	1			1	1	
2			3	2	3	2			3
1	2	3	1	1	1	1	2	3	1

같은 음 단어 연결하기

1. 다음 그림들을 보고 같은 음으로 시작하는 단어끼리 선으로 연결해 보세요.
2. 그림의 이름을 순서대로 이야기해 보세요.

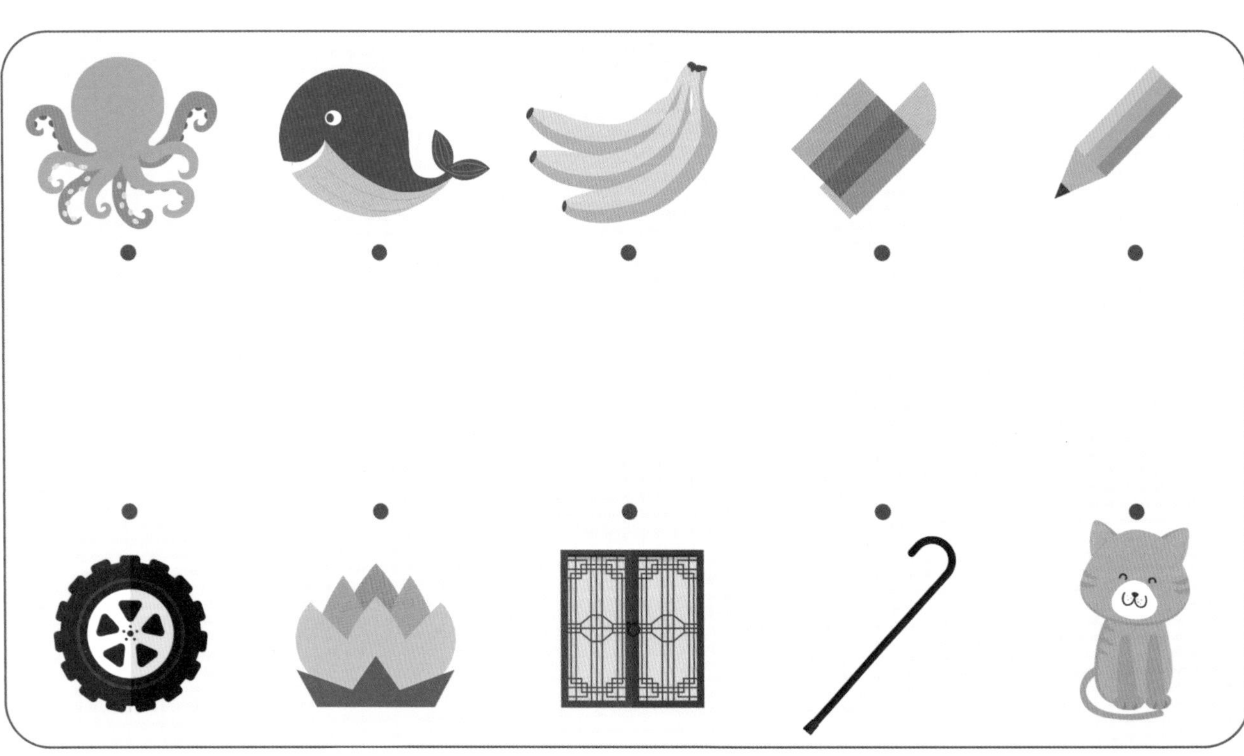

단어 유창성

★★☆ 기억력

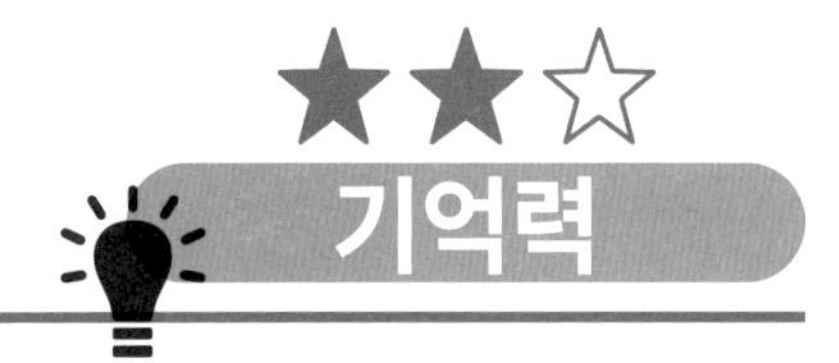

1. 다음 그림과 같은 종류의 동물, 사물 등을 생각나는 대로 적어주세요.

물고기	곤 충	꽃
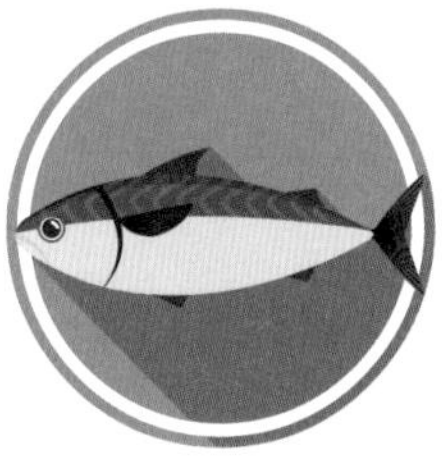	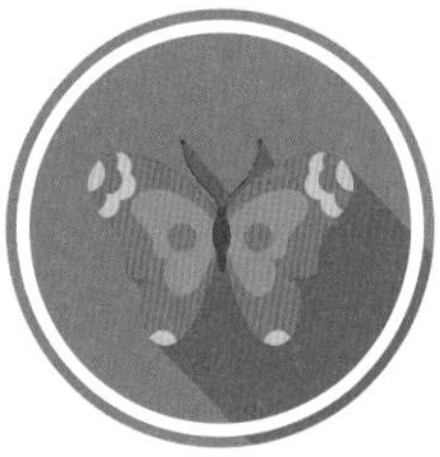	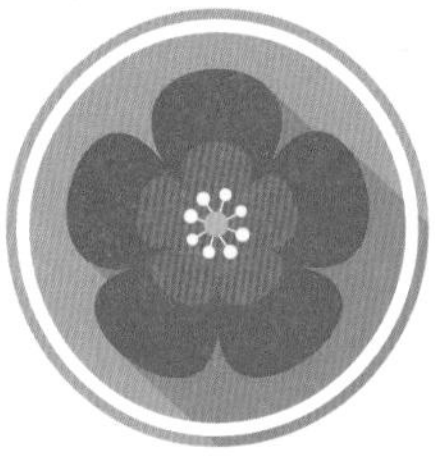
개	개	개

2. 가장 좋아하는 것을 동그라미 쳐보고 그와 연관된 추억에 관한 이야기를 한 가지씩 정해서 이야기해보세요.

같은 그림 만들기

위의 그림 두 개 중 오른쪽 그림이 왼쪽의 그림과 같은 그림이 되게 하려면 아래 그림 ①~⑤번 중에서 어떤 그림이 필요한지 찾아보세요.

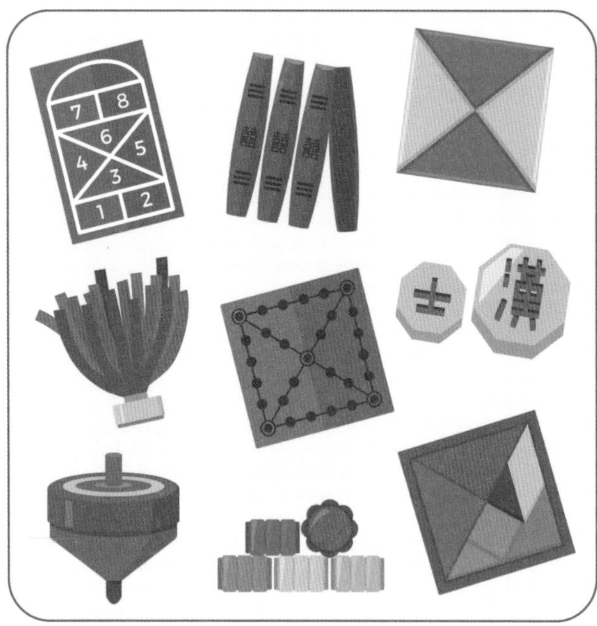

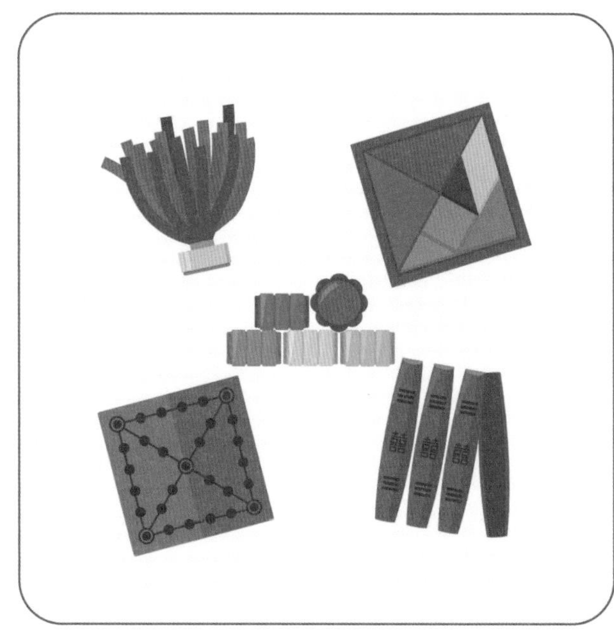

①

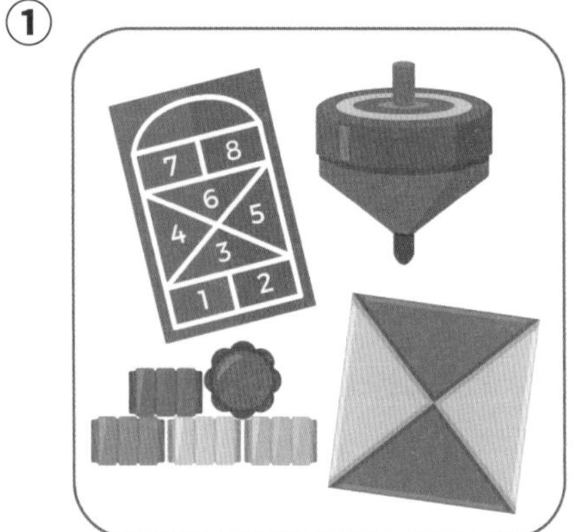

②

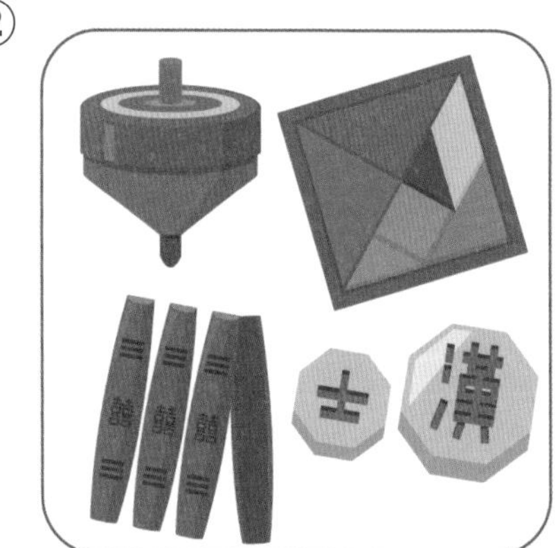

③

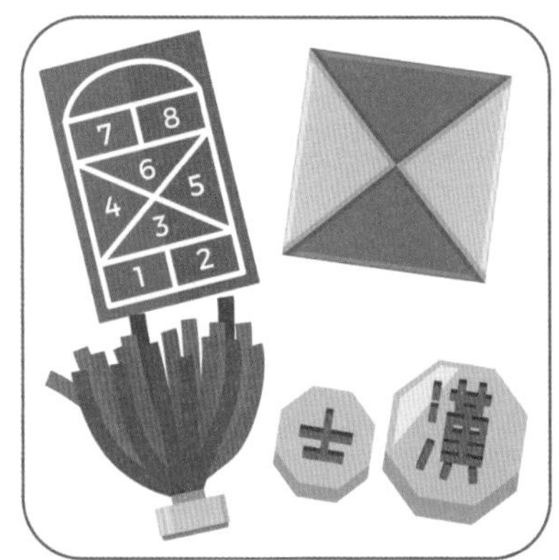

④

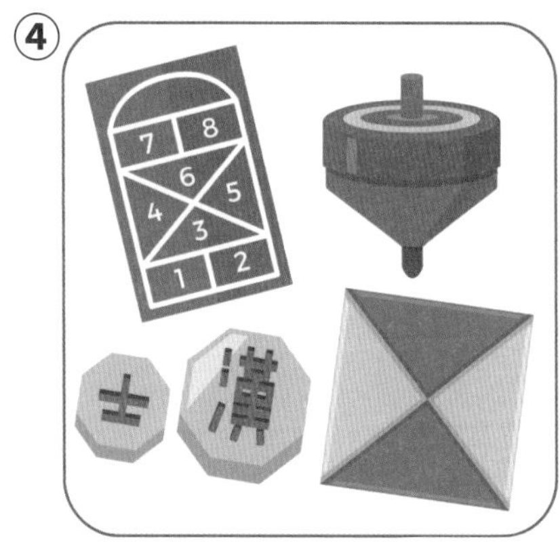

⑤

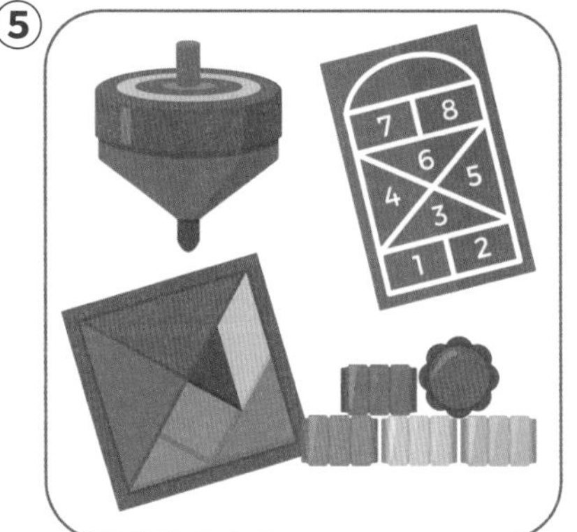

시간 순서대로 맞히기 ★★☆ 판단력

쥬스를 사와서 따르고 있습니다. 4개의 그림을 보고 시간의 흐름에 따른 순서대로 배열해서 답을 적어주세요.

① 

② 

③ 

④ 

단어 찾기

네모 안의 글자에는 꽃 이름이 숨어 있습니다.
가로, 세로, 대각선을 연결하여 7개의 꽃 이름을 찾아 표시해 주세요.

모	장	히	야	신	제
해	무	개	나	진	비
바	지	궁	송	과	꽃
라	수	선	화	봉	숭
기	강	아	풀	백	합
하	진	달	래	접	패

다른 그림 찾기

★★☆
집중력

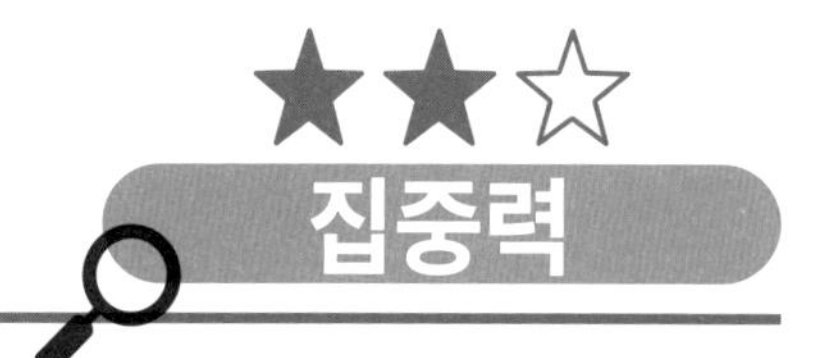

1. 보기의 그림과 다른 조합의 그림이 하나 있습니다. 찾아서 ◯표 해주세요.

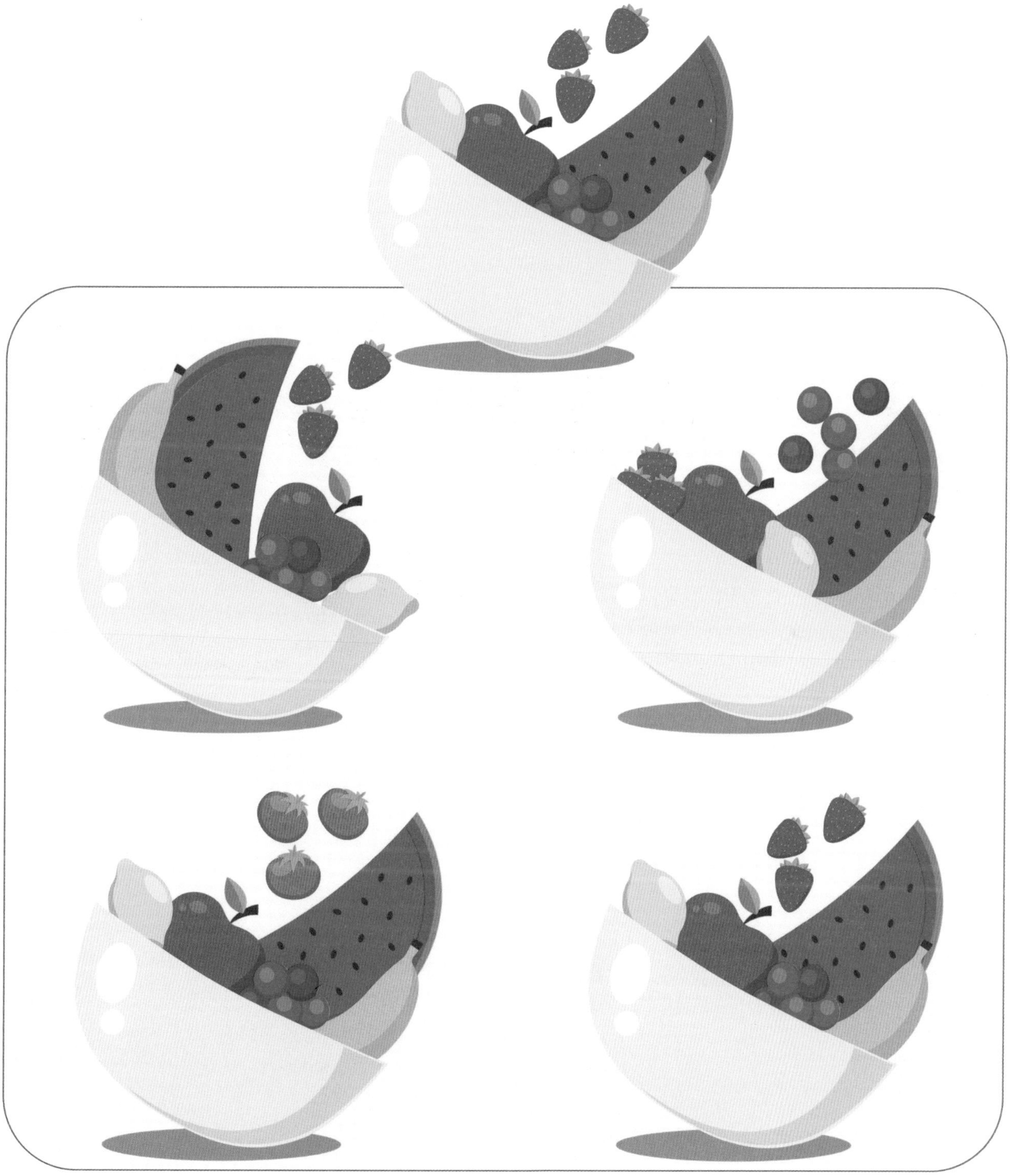

2. 크기가 큰 과일 순으로 이름을 쓰거나 그려보세요.

그림자 찾기

그림자를 잘 보면 이상한 점이 있어요. 세 군데 찾아서 ◯표 해보세요.

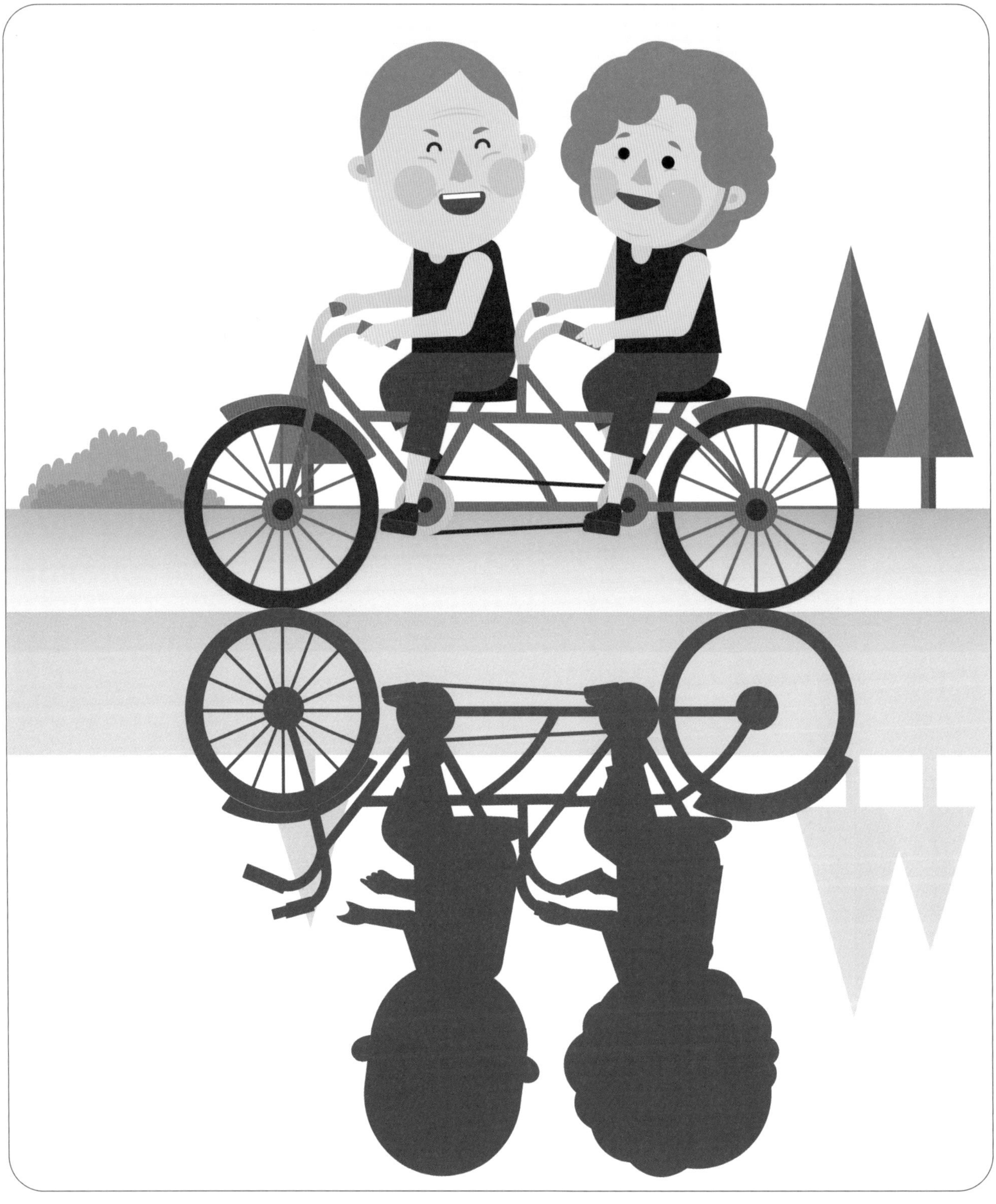

용도에 맞는 물건 찾기

다음 물건들을 보고 용도에 맞게 골라주고 이름을 맞혀보세요.

청소를 할 때 필요한 도구를 찾아 이름을 적어주세요.	
주방에서 쓰는 도구를 찾아 이름을 적어주세요.	
공구를 찾아 이름을 적어주세요.	

강아지 숫자 세기, 더하기

아래의 그림에는 14마리의 모양이 다른 강아지들이 있습니다.

1. 동그라미 안에 있는 강아지 숫자만큼 1번 칸에 색칠하세요.
2. 세모 안에 있는 강아지 숫자만큼 2번 칸에 색칠하세요.
3. 동그라미에도 네모에도 있는 강아지와 동그라미에도 세모에도 있는 강아지 숫자를 합쳐서 3번 칸에 색칠하세요.

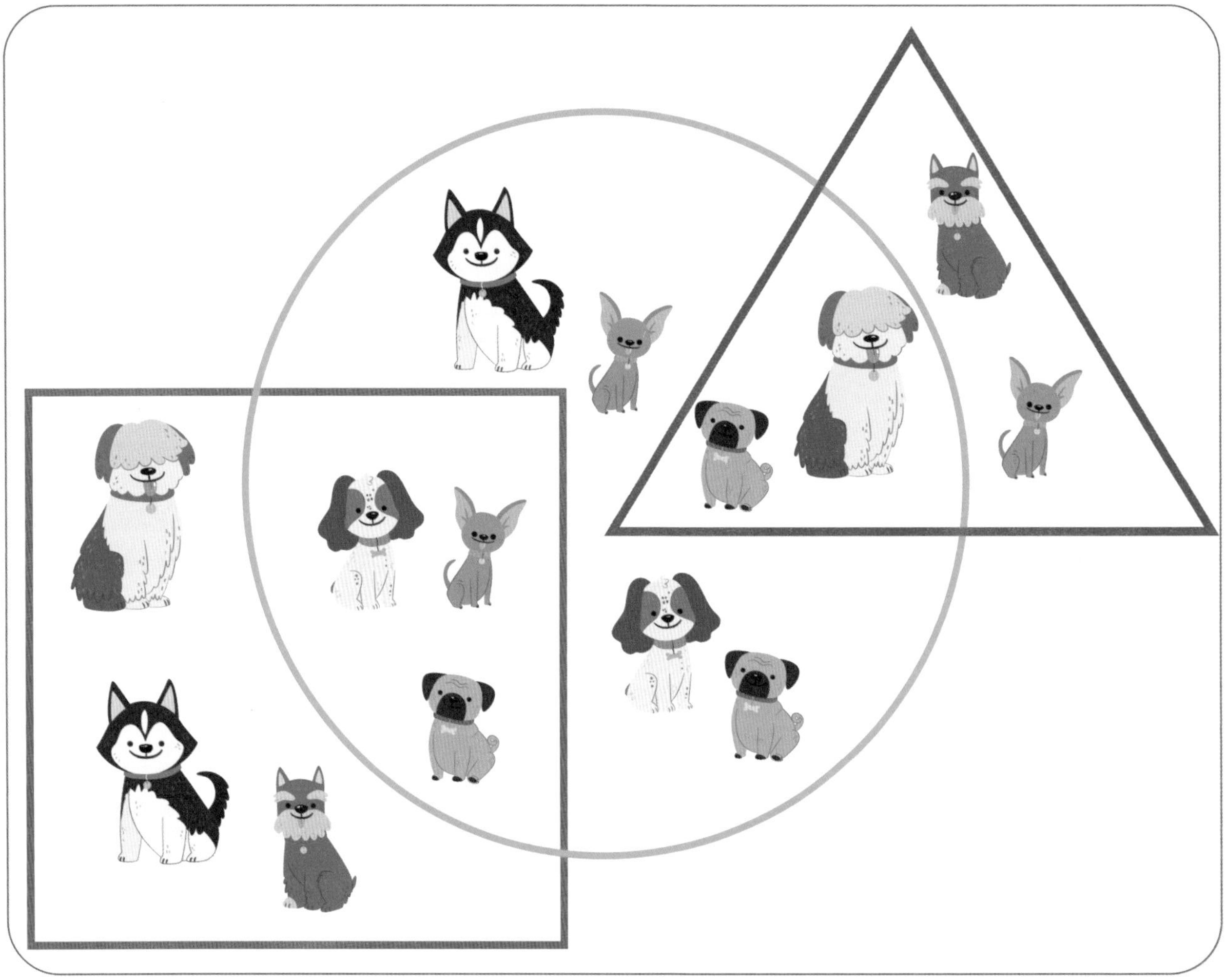

①

②

③

계절에 맞는 것 고르기

★★☆ 판단력

네모 안의 단어 중 가을과 관련 있는 단어를 찾아 동그라미 ◯표 해주세요.

추수하기	감 따기	눈사람	씨뿌리기
썰매타기	밤 따기	수박서리	추석
진달래	단풍놀이	털장갑	코스모스
크리스마스	고추잠자리	사과수확	해수욕

네모 안의 단어 중 여름과 관련 있는 단어를 찾아 ◯표 해주세요.

보릿고개	피서	월동준비	군고구마
참외	선풍기	모닥불	부채
해바라기	벚꽃	설날	복숭아
동백꽃	꽃가루	에어컨	등목

좋아하는 케이크 고르기

손주 생일에 손주가 좋아하는 케잌을 사러 왔어요.
손주가 좋아하는 케잌을 알려주었는데, 어떤 케이크인지 찾아 동그라미 해보세요.

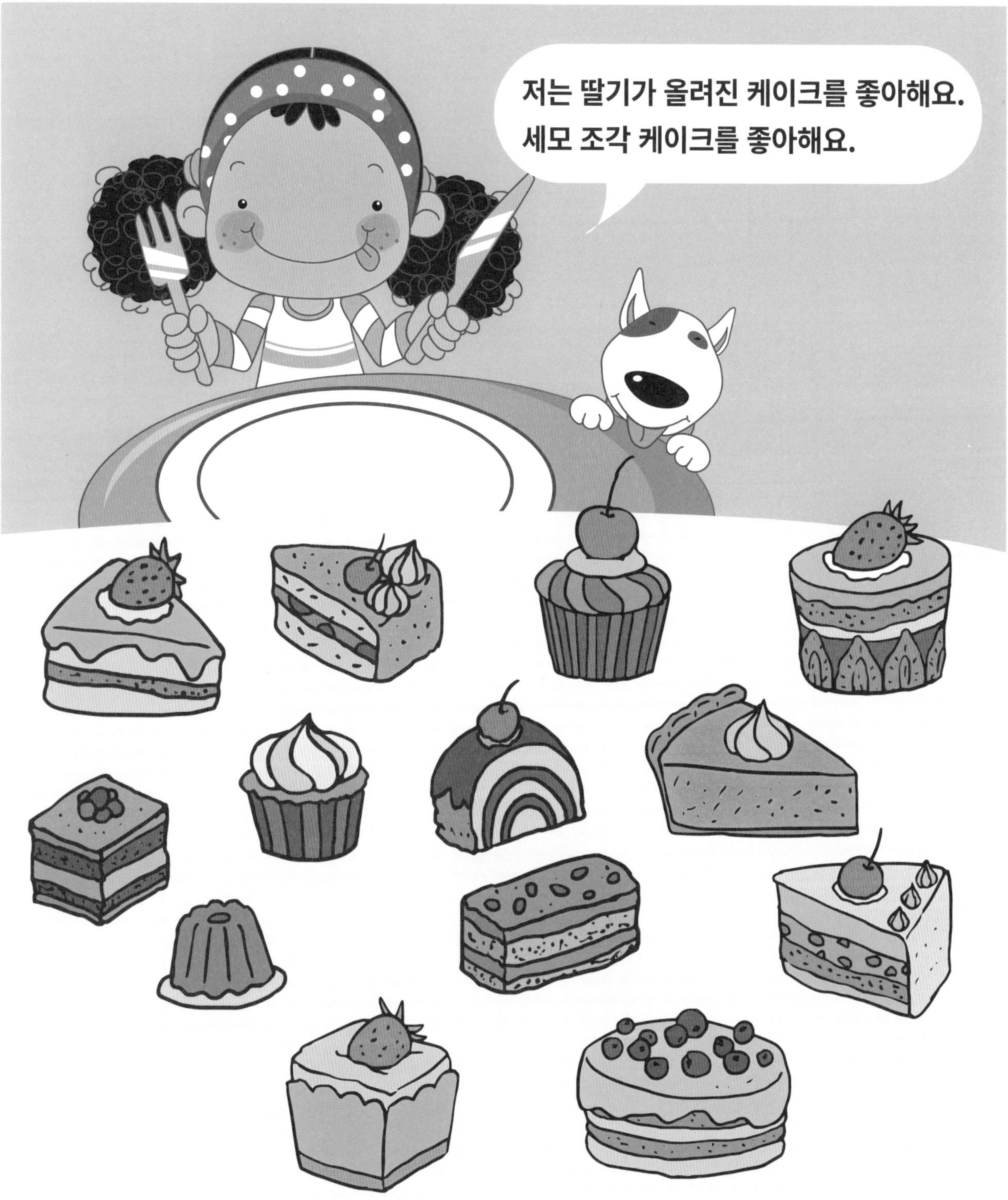

저는 딸기가 올려진 케이크를 좋아해요.
세모 조각 케이크를 좋아해요.

다음에 나올 그림 찾기

아래 그림에는 규칙이 있습니다. 규칙을 찾아보고 네모 안에 어떤 그림이 나올지 그려 보세요.

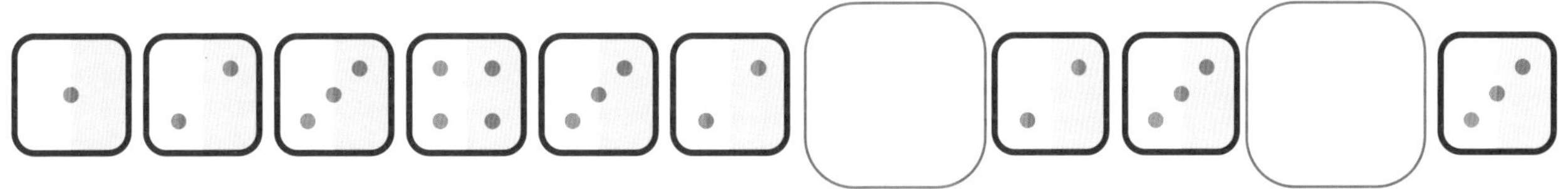

돈 계산 하기

★★☆ 계산력

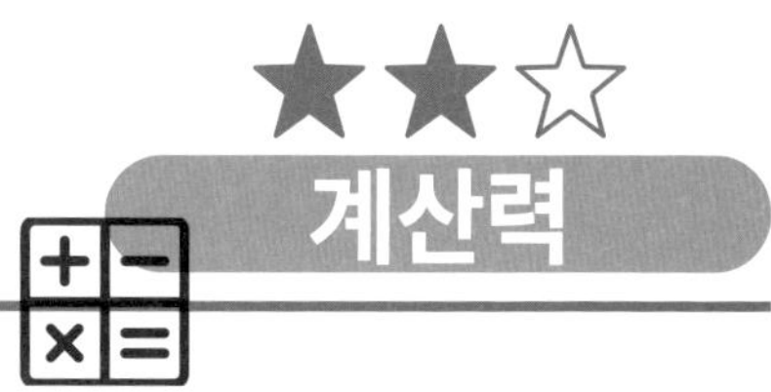

아래 지폐와 동전을 다 합치면 얼마가 되는지 계산해서 금액을 적어주세요.

______ 원

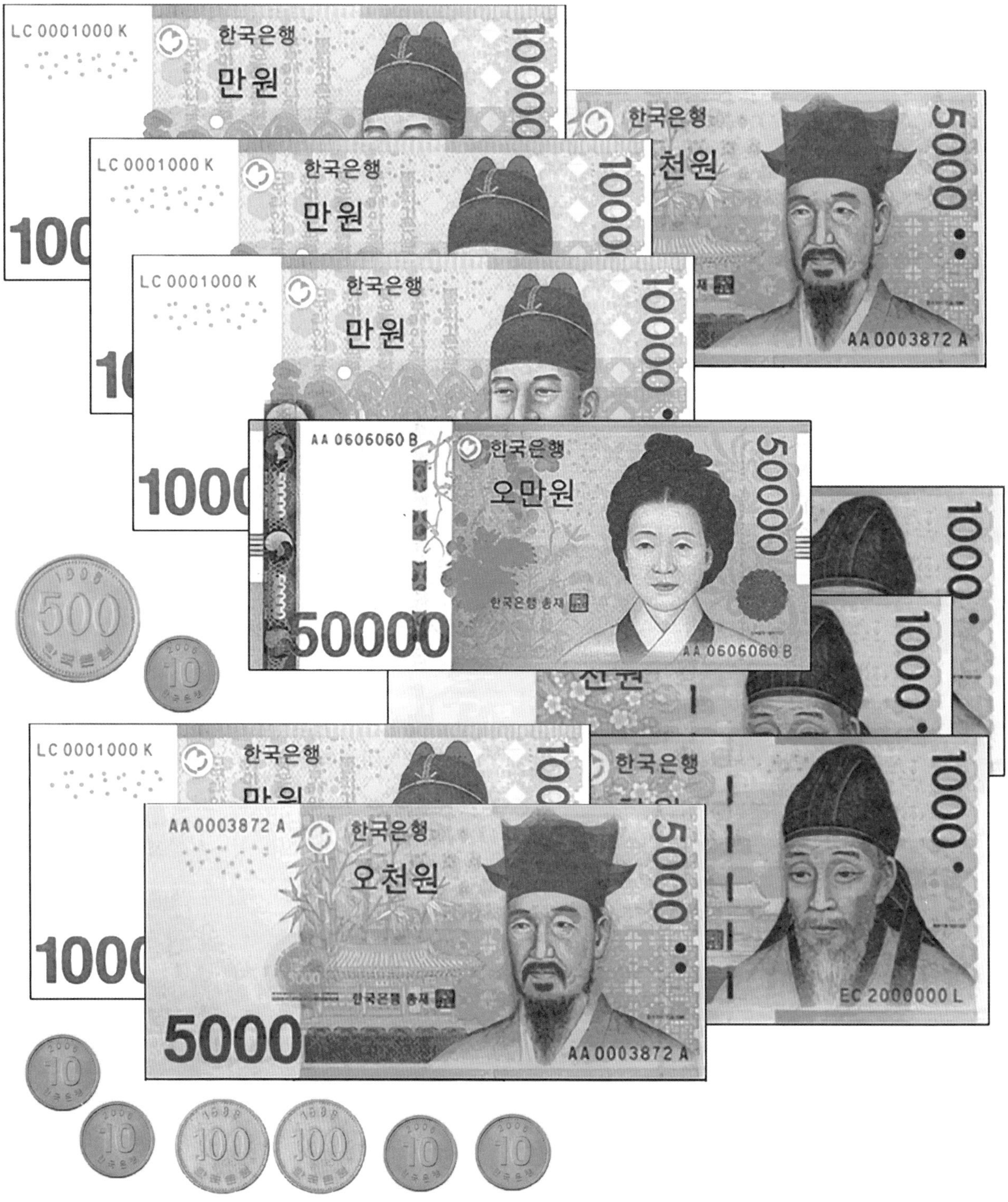

손주 찾기

오늘은 손주 유치원 발표회입니다.

손주와 손주 친구 두명이 어디에 있는지 설명을 잘 듣고 찾아서 표시해주세요.

손주는 앞에서 세 번째 열에서 반팔을 입고 있습니다.
○표 해주세요.

손주 친구 지혜는 손주의 두 번째 앞 열에서 머리를 묶고 오른쪽에 리본을 달고 있습니다.
△표해주세요.

손주 친구 윤성이는 지혜 자리에서 세 번째 뒷줄에 왼쪽에서 네 번째 있습니다.
□표해주세요.

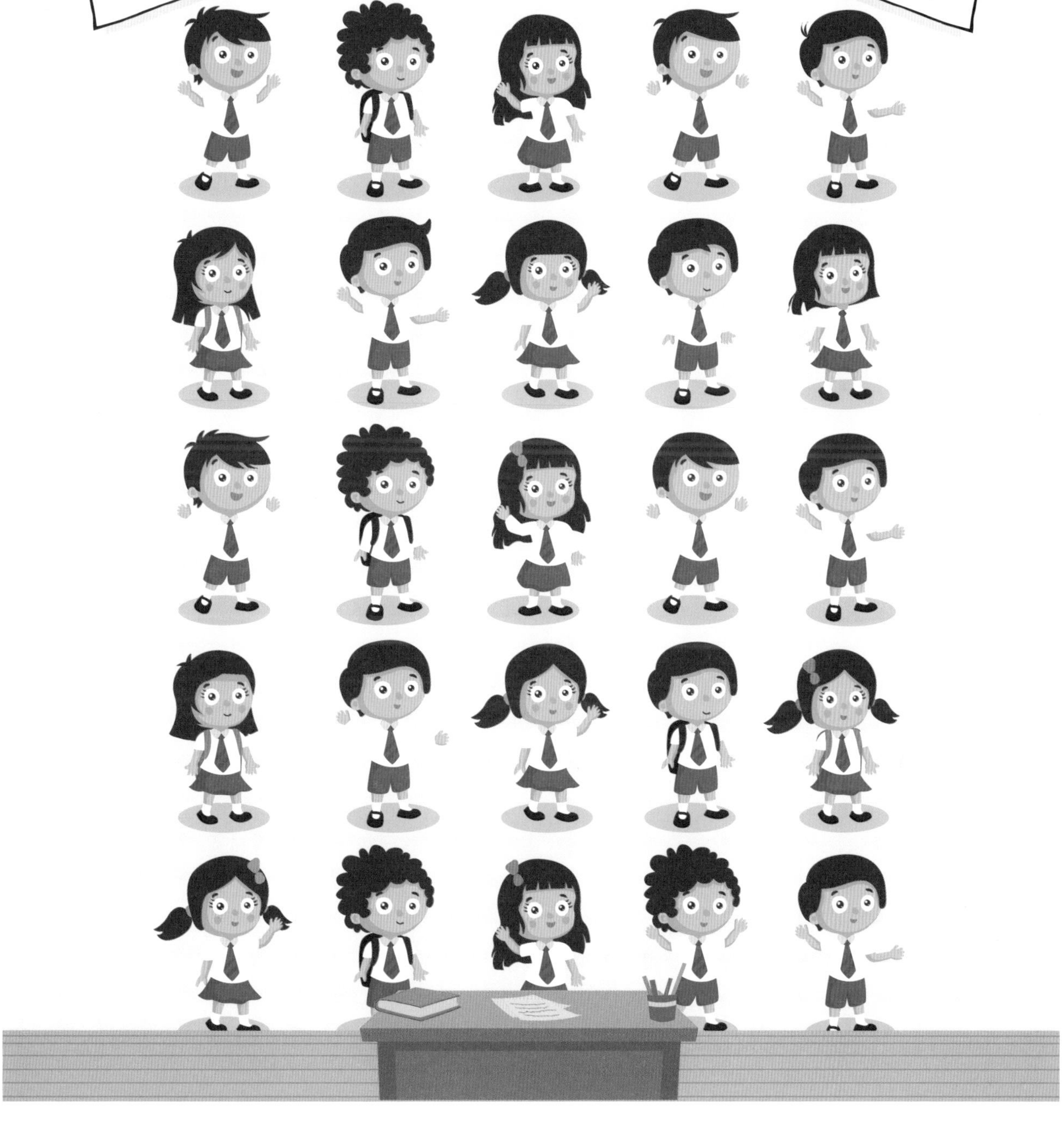

글자 찾기

다음 네모 안의 글자 중에서 "어"자와 "아"는 각각 몇 개인지 찾아보세요.

"어" 글자는 모두 몇 개인가요? [ ] 개

"아" 글자는 모두 몇 개인가요? [ ] 개

두껍아 두껍아, 헌집 줄게 새집 다오.
두껍아 두껍아, 집 지어라. 황새야 황새야, 물 길어라
소가 밟아도 딴딴, 까치가 밟아도 딴딴
무너질라 생각 말고 잘도 잘도 지어라.
두껍아 두껍아, 네 집하고 내 집하고 바꾸자.
두껍아 두껍아, 헌집 줄게 새집 다오.

문지기 문지기 문 열어 주소 / 열쇠 없어 못 열겠네
어떤 대문에 들어갈까 / 동대문으로 들어가
문지기 문지기 문 열어 주소 / 열쇠 없어 못 열겠네
어떤 대문에 들어갈까 / 남대문으로 들어가
문지기 문지기 문 열어 주소 / 열쇠 없어 못 열겠네
어떤 대문에 들어갈까 / 서대문으로 들어가
문지기 문지기 문 열어 주소 / 덜커덩떵 열렸네

똑똑 누구십니까? 손님입니다 들어오세요 문 따 주세요
처얼컥! 하나 둘 셋 넷
아랫목에 앉아라 아이고 뜨거워!
윗목에 앉아라 아이고 차가워 !
의자에 앉아라 아이고 엉덩이!
땅바닥에 앉아라 아이고, 더러워! 못 앉겠어요
못 앉겠음 빨리빨리 나가주세요

이번 달 달력 그리기

이번 달 달력에 날짜를 채워 넣고 □칸에는 명절, 국가공휴일, 가족 생일, 행사, 중요한 약속 등을 적어 보세요. 지나간 날 행사도 떠올려 적어주세요.

일	월	화	수	목	금	토

패턴 찾기

아래 빈 칸에 들어갈 숫자나 기호를 적어보세요.

2	1		2		3		1	3

7		5	9	7	7		9	7

실버인지놀이
고급

누구일까요?

★★★ 집중력

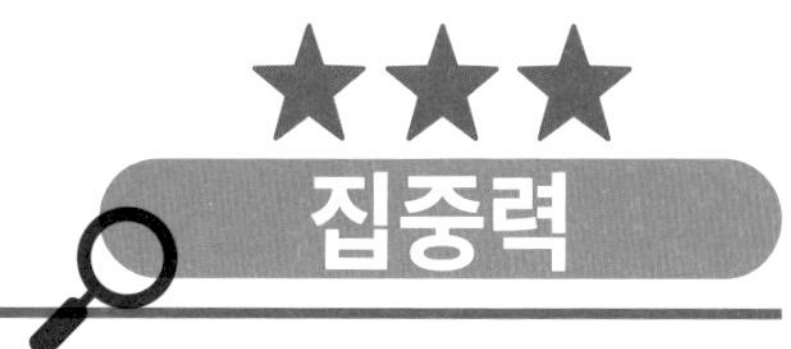

누구의 사진이 잘라진 건지 맞추어보고 맞는 그림에 ◯표 해주세요.

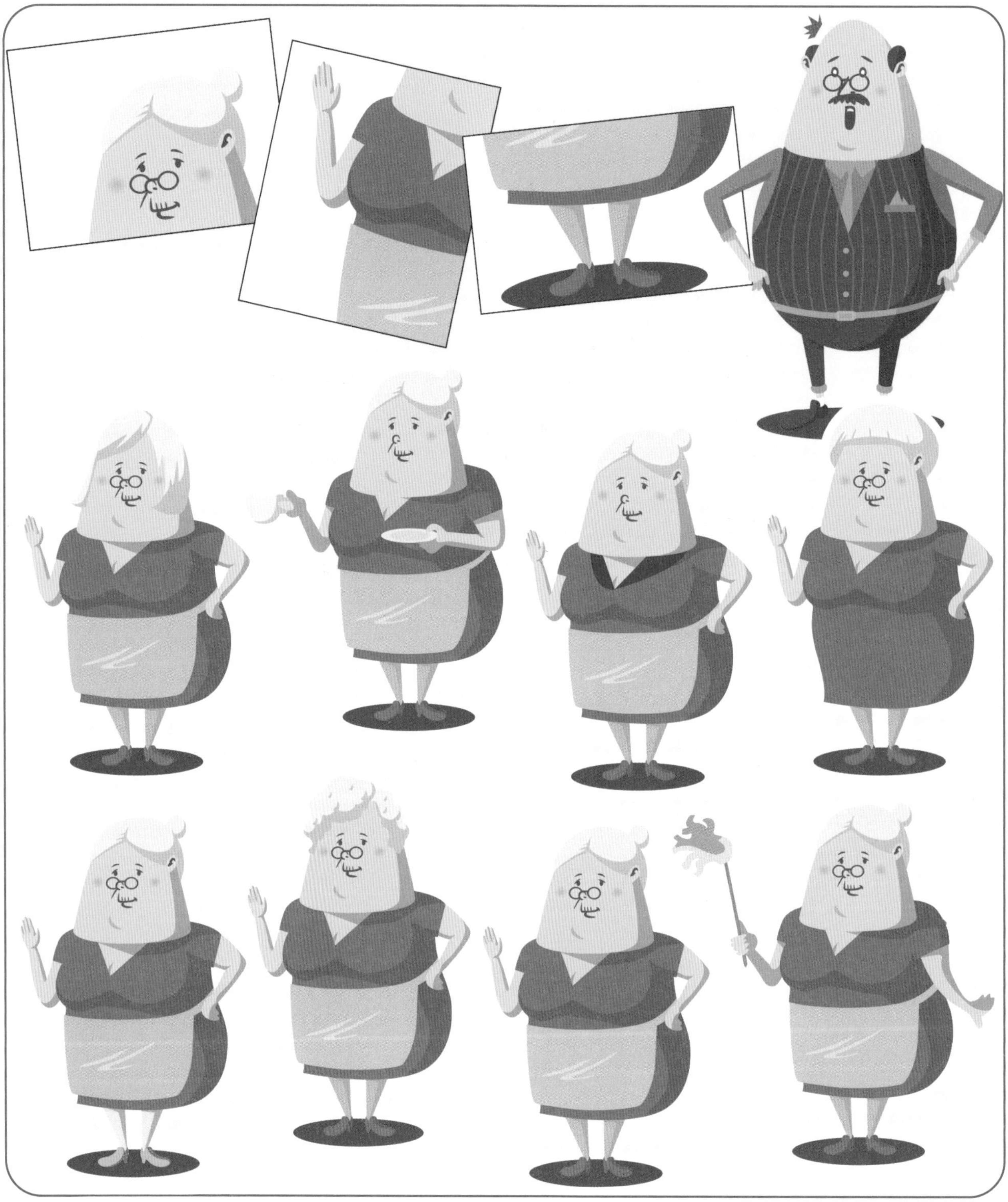

계산하기

30,000원을 가지고 슈퍼에 갔어요. 달걀 10개, 빵 2개, 수박 1개를 사고 나면 얼마가 남을까요?

원

CAKE CAKE CAKE
PIZZA PIZZA PIZZA PIZZA
3,000
10,000
1,800
3,500
milk milk milk
2,500
2,000
2,000
3,000
900
20,000
15,000
4,000
1,200
1,000
CAKE
milk

누구일까요?

마을에 이상한 사람이 왔어요. 그 사람을 본 사람들이 그 사람의 특징을 얘기하는 것을 잘 듣고 누구인지 찾아서 네모 안에 동그라미 해보세요.

없어진 그림 기억하기

★★★ 기억력

다음 그림을 30초~1분 동안 보고 다음 페이지로 넘겨주세요.

없어진 그림 기억하기

★★★ 기억력

앞의 페이지에 없었던 그림은 어느 것인지 찾아서 번호를 적어주세요.

숨은그림 찾기

★★★
집중력

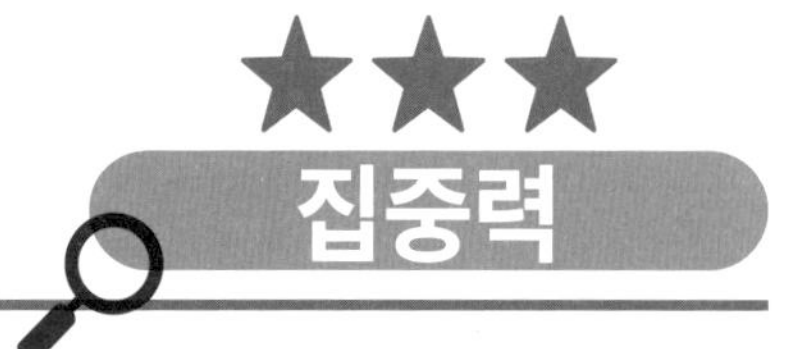

다음 그림에 있는 숨은 그림 8개를 찾아 ◯표 해주세요.

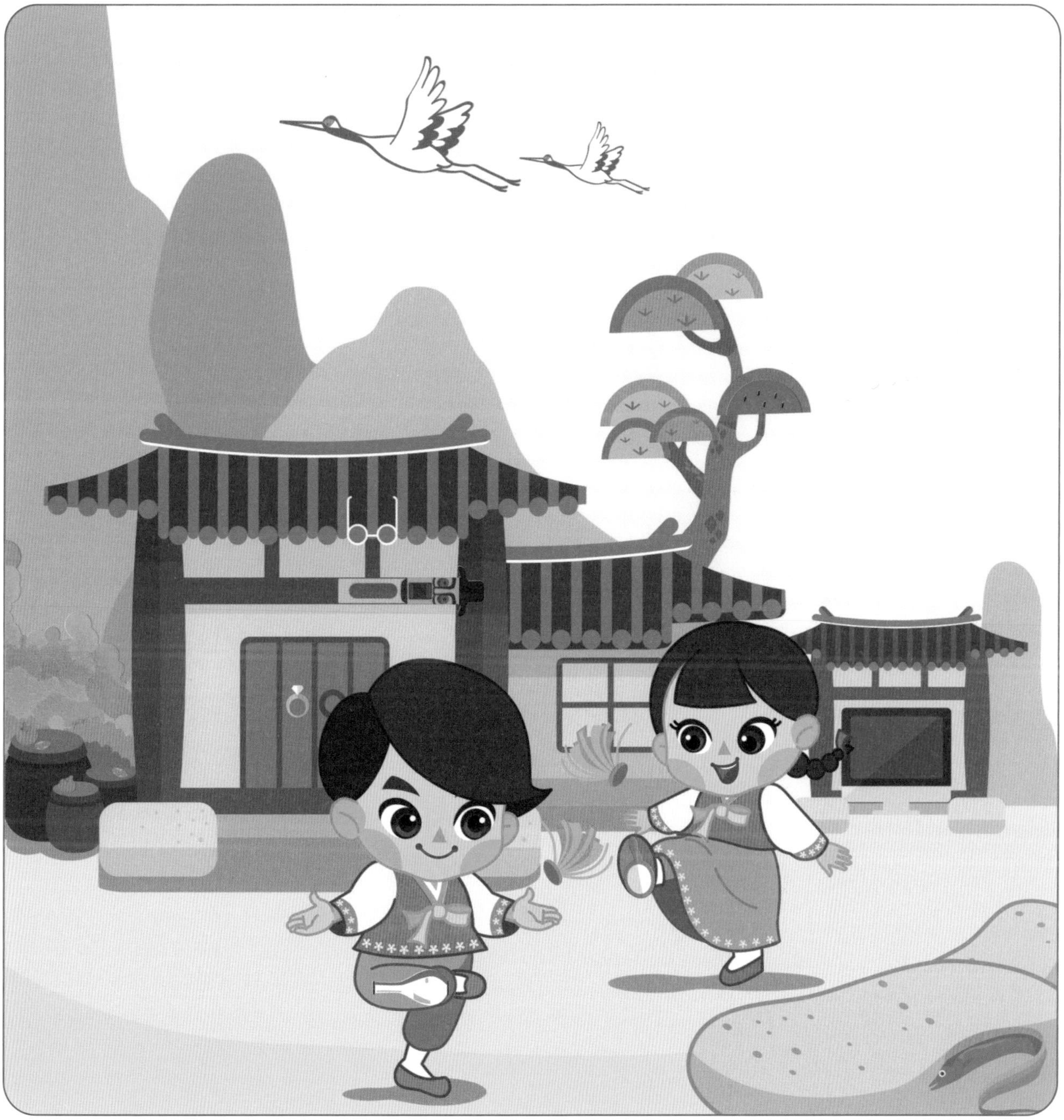

도자기, 안경, 모니터, 갈치, 거울, 수박, 장승, 반지

숫자 계산하기

□안에는 어떤 숫자가 나올지 계산해서 적어보세요.

순서대로 연결하기

출발에서 도착까지     순으로 선을 연결하며 찾아보세요.

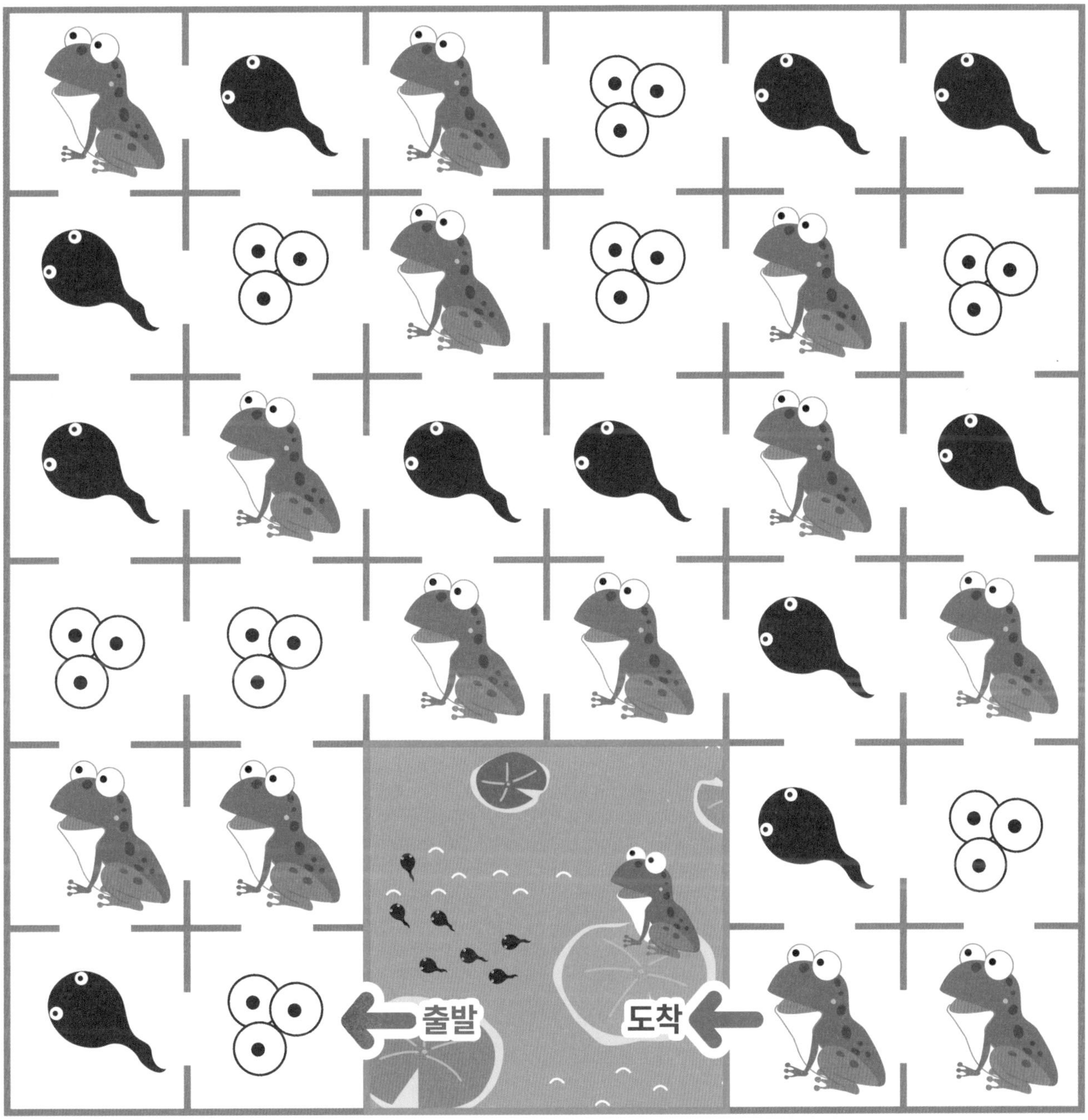

출발

도착

같은 모양 그리기

★★★ 시공간력

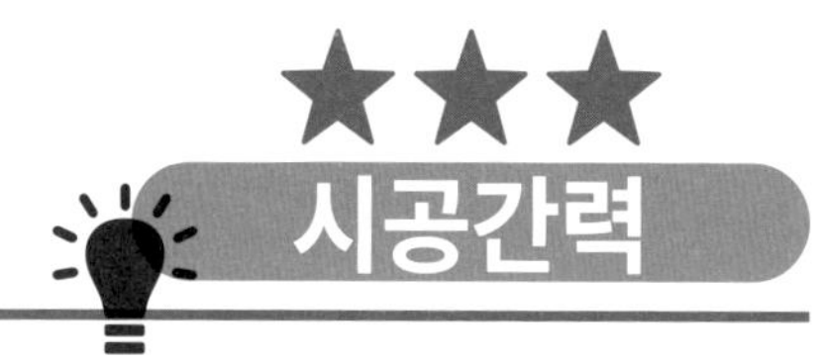

아래의 모양과 같은 모양을 오른쪽 페이지에 그대로 그려보세요.

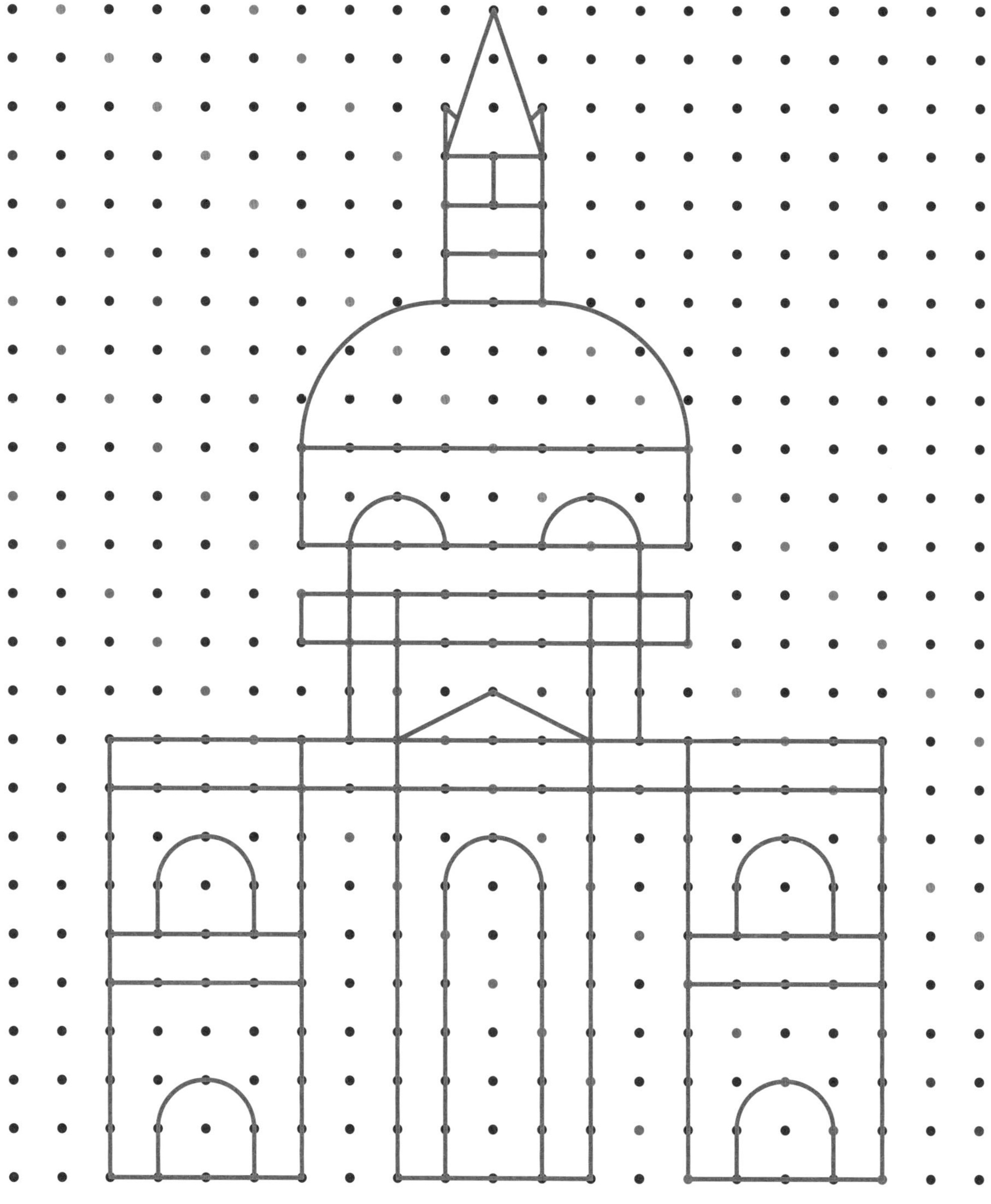

같은 모양 그리기

★★★ 시공간력

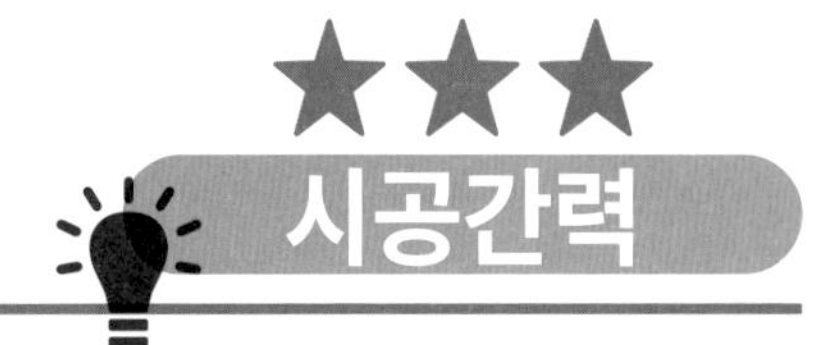

왼쪽 페이지의 모양과 같은 모양을 그려보세요.

채소, 동물 맞히기

1. 채소가 아닌 것에는 △표시 해주세요.
2. 채소 그림(사진)을 보고 이름을 차례대로 적어(이야기해) 보세요.
3. 이 중 가장 좋아하는 채소에 동그라미 해주세요.

1. 가장 크기가 작은 동물에 □표시 해주세요.
2. 동물 그림(사진)을 보고 이름을 차례대로 적어(이야기해) 보세요.
3. 이 중 가장 좋아하는 동물에 동그라미 해주세요.

틀린 그림 찾기

위의 그림과 아래의 그림 중 틀린 부분을 찾아 아래 그림에 ◯표 해주세요. 5군데 있습니다.

끝말잇기 미로

그림을 보고 끝말잇기로 출발지에서 도착지까지 선으로 연결해보세요.

출발

도착

셈하기

★★★
계산력

14 + 6 =	20 − 12 =	14 + 16 =
12 + 13 =	11 + 11 =	19 − 5 =
18 + 8 =	21 − 11 =	13 − 7 =
12 − 7 =	17 − 12 =	19 + 3 =
16 + 5 =	18 + 16 =	15 + 17 =
14 + 18 =	10 + 27 =	22 − 12 =
31 − 15 =	16 − 11 =	17 + 7 =
25 + 8 =	29 − 17 =	26 − 7 =

1. 문제를 먼저 풀어보세요.
2. 전체 숫자 중(문제와 정답)에서 “2”가 총 몇 개인지 찾아보세요.
3. 초록색 숫자의 합은 얼마인가요?
4. 주황색 숫자의 합은 얼마인가요?

따라 그리기

왼쪽의 그림을 보고 똑같이 오른쪽 칸에 따라 그리고 같은 색으로 색칠해보세요.

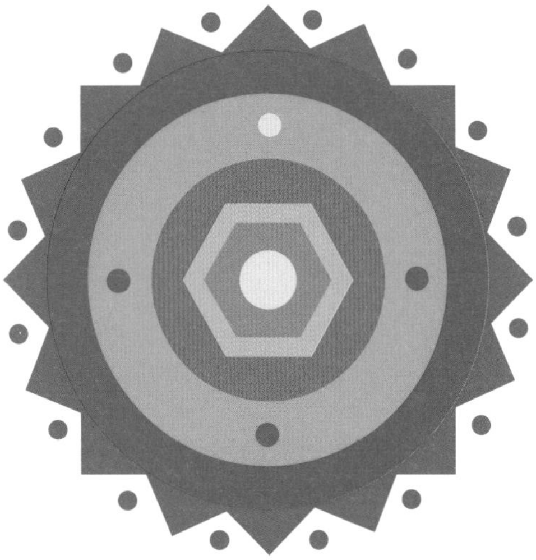

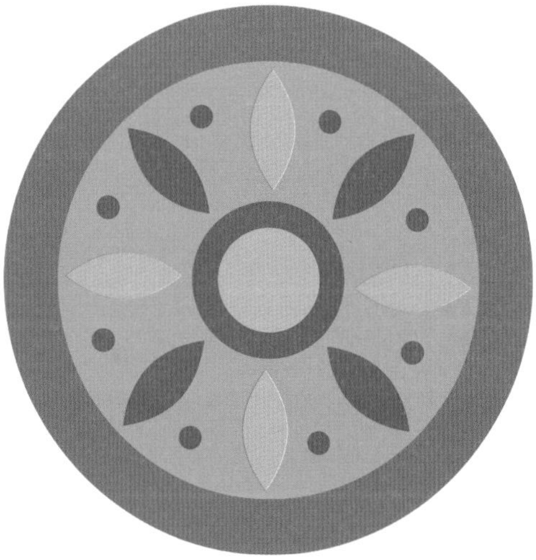

한글자로 된 낱말 기억하기

1. 위 그림을 1분 동안 본 후 뒷장으로 넘겨주세요.
2. 아래 글자를 2분 동안 본 후 뒷장으로 넘겨주세요.

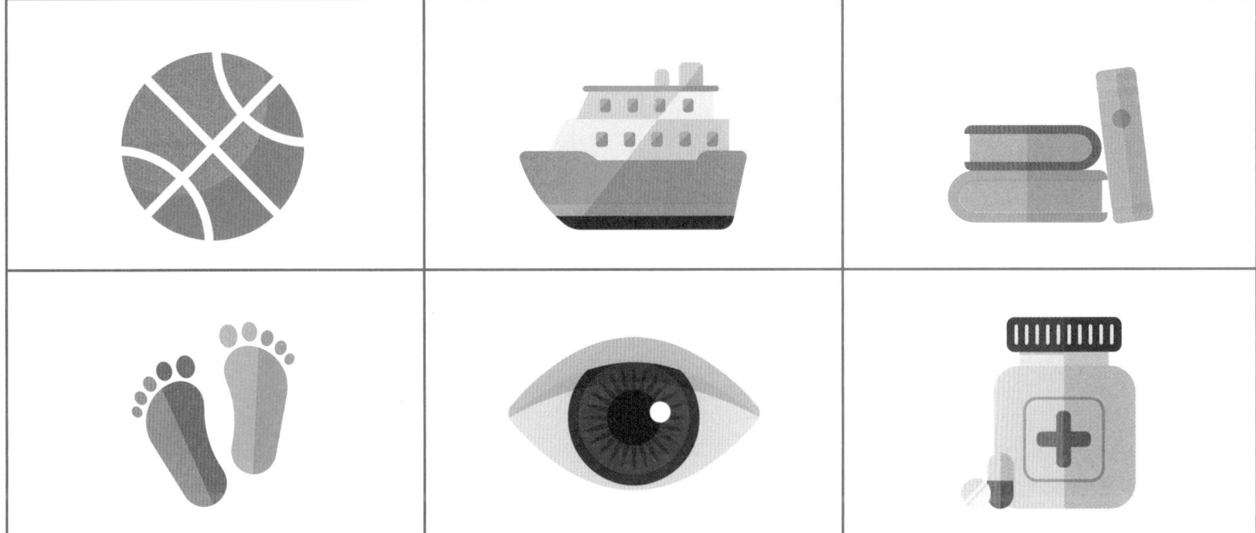

비	신	붓
물	금	흙
밥	문	차

한글자로 된 낱말 기억하기

1. 앞 장에서 기억한 그림들을 그려보세요.

2. 앞 장에서 기억한 글자들을 써보세요.

기억한 낱말 수 [ ] 개

모양 세기

위의 그림보다 아래의 그림 중 갯수가 다른 모양이 한 개 있어요. ◯표 해주세요.

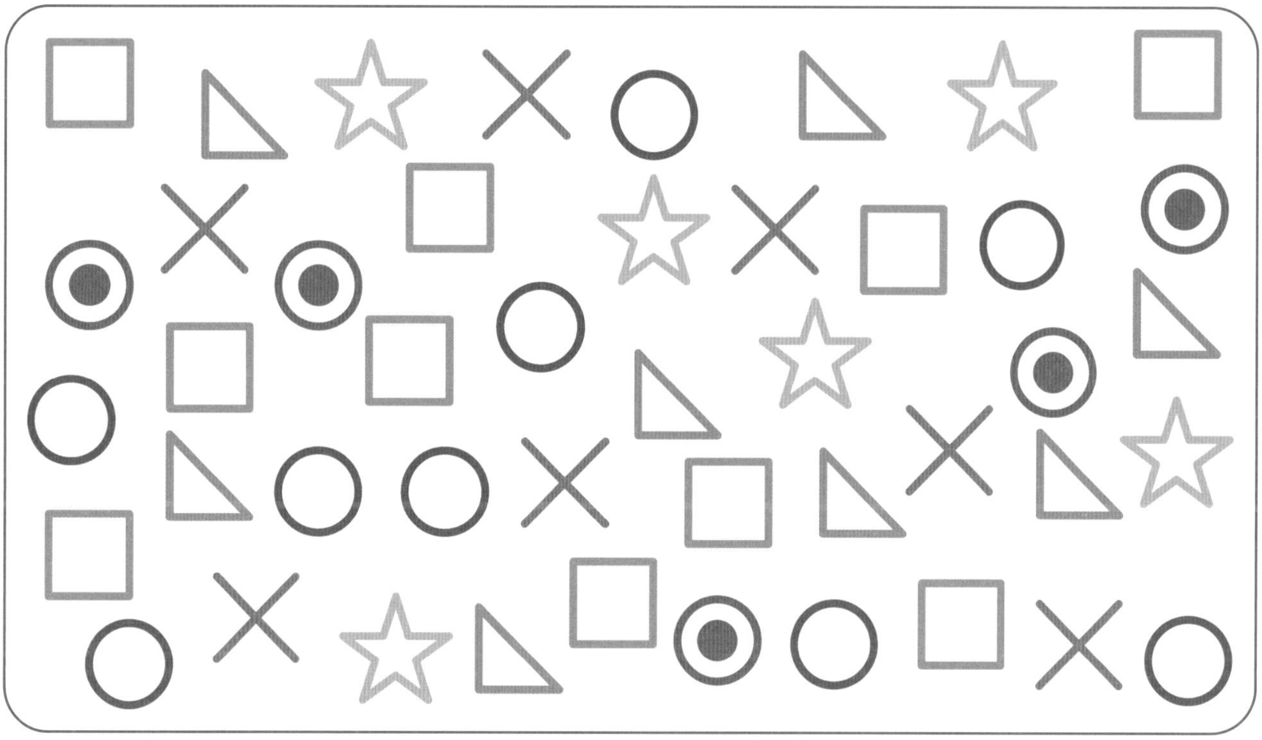

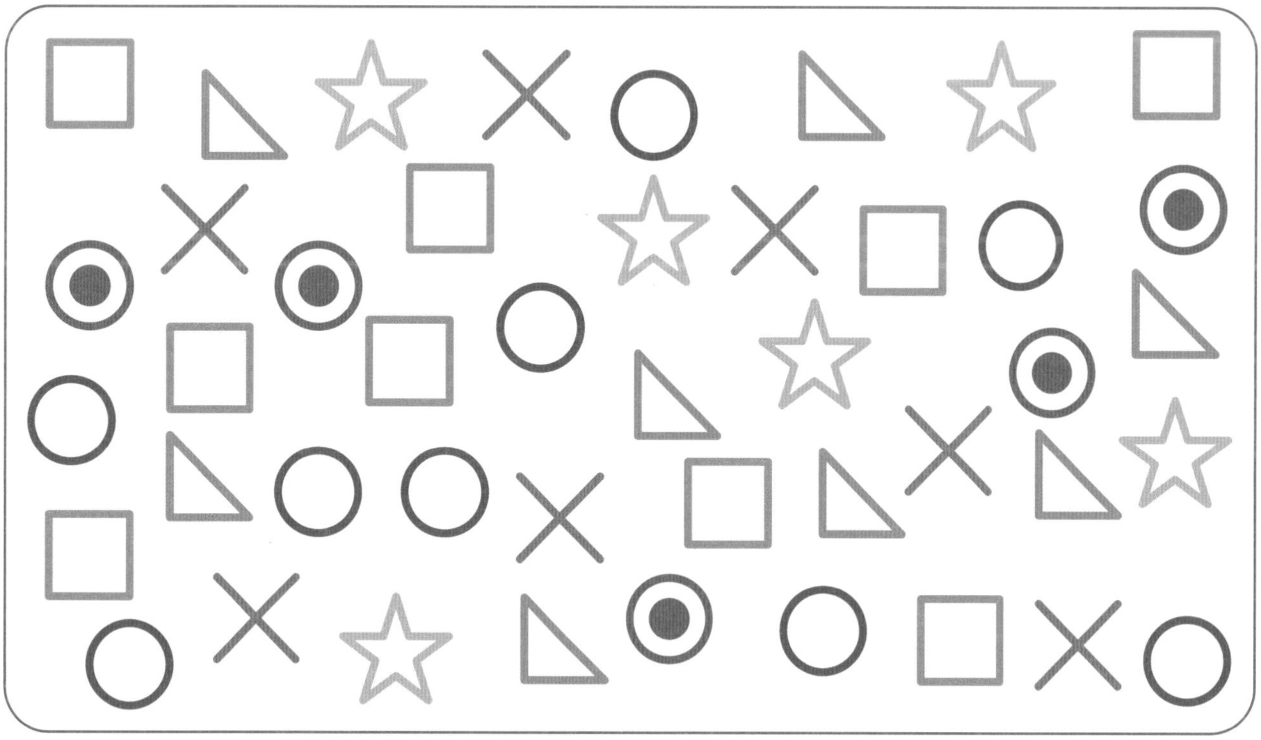

워크북
02

치매예방을 위한 뇌훈련

실버인지놀이

오늘의
기억

오늘의 기억

년 월 일 요일 날씨

기상시간			
식사 시간	아침	점심	저녁
오늘 먹은 음식			
만난 사람			
방문한 곳			
오늘 입었던 옷			
사용한 돈	사용한 곳		금 액
기억에 남는 일			
오늘 나의 감정			

오늘의 기억

년 월 일 요일 날씨

기상시간			
식사 시간	아침	점심	저녁
오늘 먹은 음식			
만난 사람			
방문한 곳			
오늘 입었던 옷			

사용한 돈	사용한 곳	금 액

기억에 남는 일	

오늘 나의 감정

오늘의 기억

년 월 일 요일 날씨

기상시간			
식사 시간	아침	점심	저녁
오늘 먹은 음식			
만난 사람			
방문한 곳			
오늘 입었던 옷			
사용한 돈	사용한 곳	금 액	
기억에 남는 일			
오늘 나의 감정			

정답지

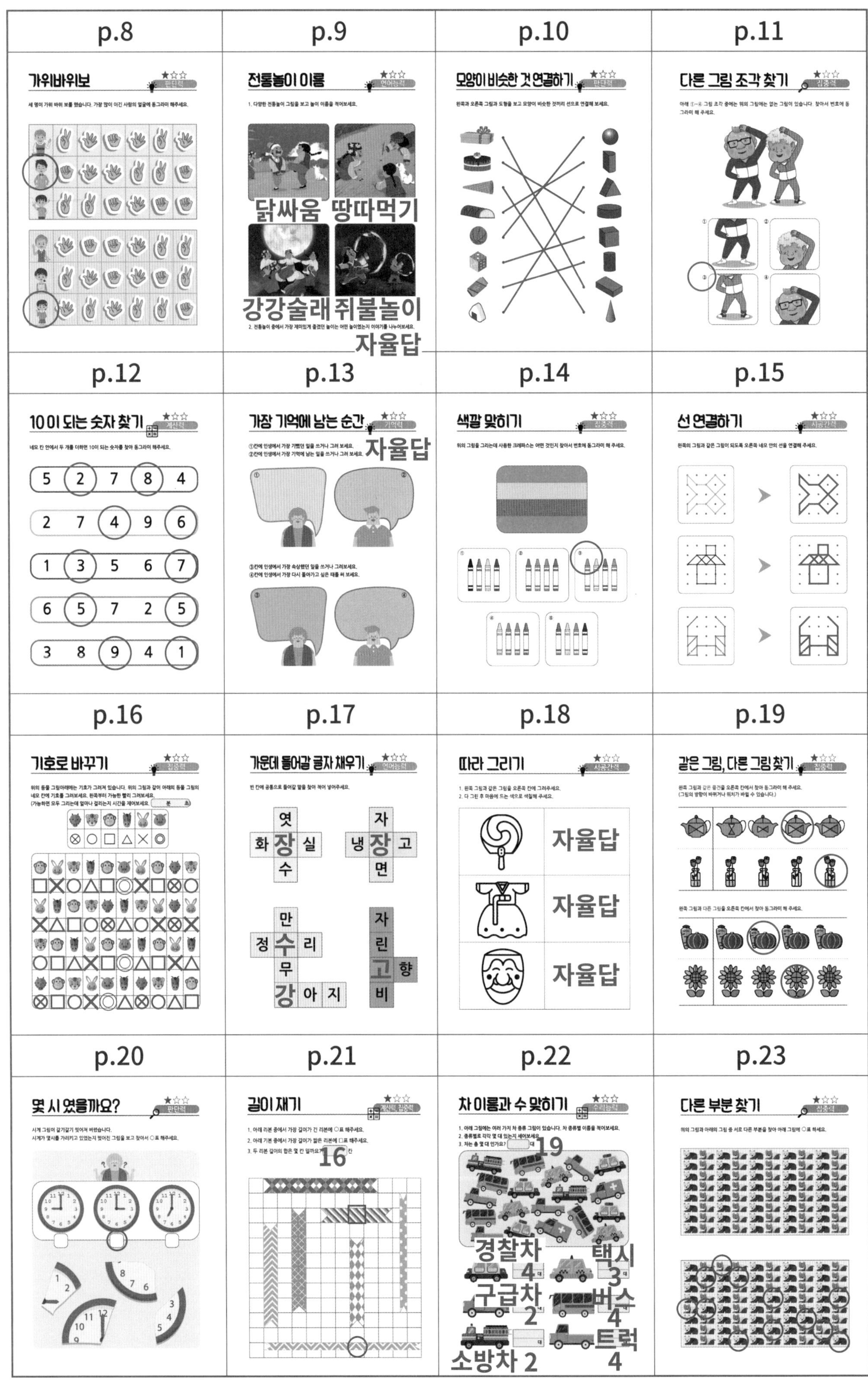
p.8
가위바위보
p.9
전통놀이 이름
닭싸움
땅따먹기
강강술래
쥐불놀이
자율답
p.10
모양이 비슷한 것 연결하기
p.11
다른 그림 조각 찾기
p.12
10이 되는 숫자 찾기
5 2 7 8 4
2 7 4 9 6
1 3 5 6 7
6 5 7 2 5
3 8 9 4 1
p.13
가장 기억에 남는 순간
자율답
p.14
색깔 맞히기
p.15
선 연결하기
p.16
기호로 바꾸기
p.17
가운데 들어갈 글자 채우기
엿
화 장 실
수
자
냉 장 고
면
만
정 수 리
무
강 아 지
자
린
고 향
비
p.18
따라 그리기
자율답
자율답
자율답
p.19
같은 그림, 다른 그림 찾기
p.20
몇 시였을까요?
p.21
길이 재기
16
p.22
차 이름과 수 맞히기
19
경찰차 4
택시 3
구급차 2
버스 4
소방차 2
트럭 4
p.23
다른 부분 찾기

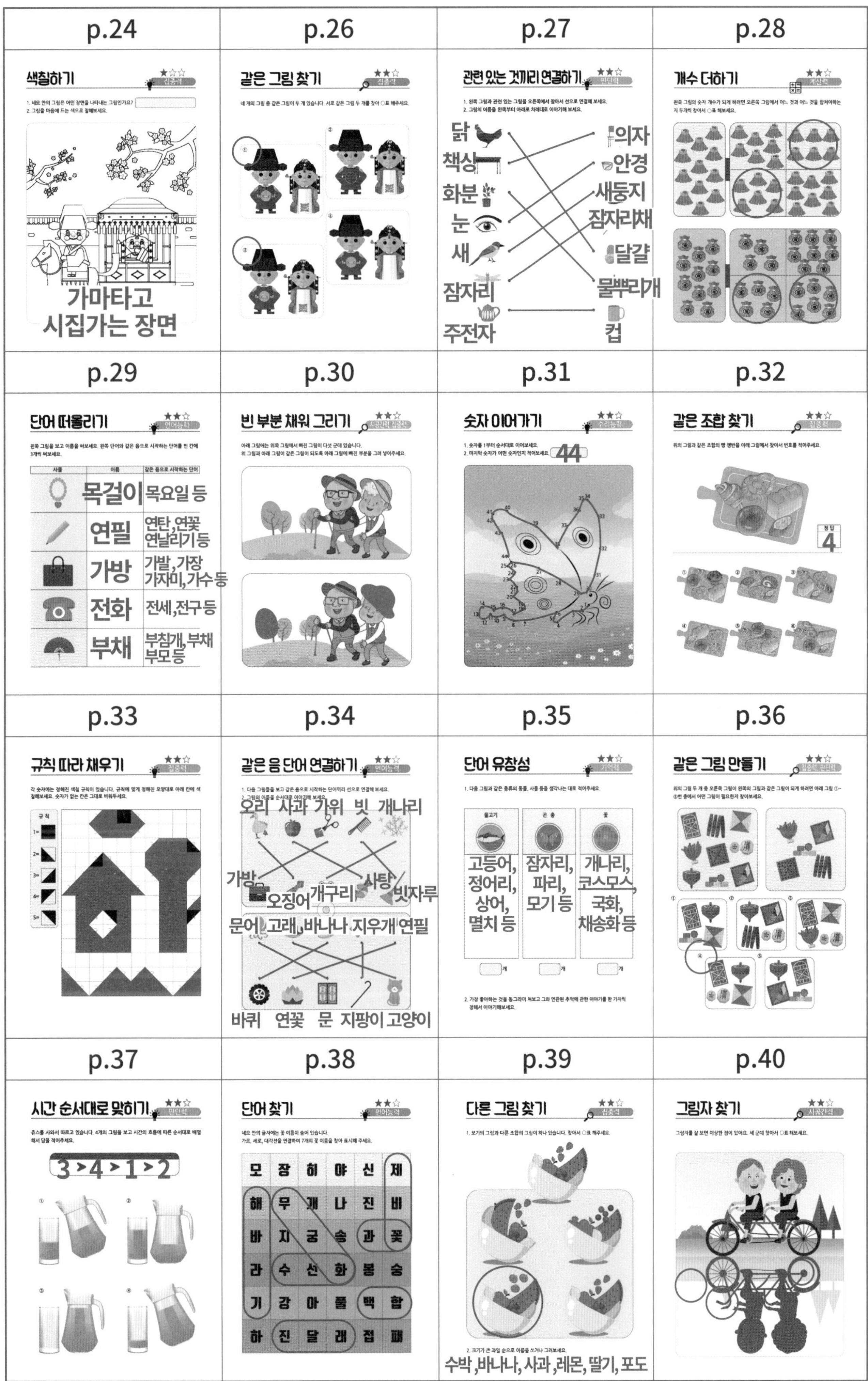
p.24
색칠하기
가마타고
시집가는 장면
p.26
같은 그림 찾기
p.27
관련 있는 것끼리 연결하기
닭
책상
화분
눈
새
잠자리
주전자
의자
안경
새둥지
잠자리채
달걀
물뿌리개
컵
p.28
개수 더하기
p.29
단어 떠올리기
목걸이 목요일 등
연필 연탄, 연꽃 연날리기 등
가방 가발, 가장 가자미, 가수 등
전화 전세, 전구 등
부채 부침개, 부채 부모 등
p.30
빈 부분 채워 그리기
p.31
숫자 이어가기
44
p.32
같은 조합 찾기
정답
4
p.33
규칙 따라 채우기
p.34
같은 음 단어 연결하기
오리 사과 가위 빗 개나리
가방 오징어 개구리 사탕 빗자루
문어 고래 바나나 지우개 연필
바퀴 연꽃 문 지팡이 고양이
p.35
단어 유창성
고등어, 정어리, 상어, 멸치 등
잠자리, 파리, 모기 등
개나리, 코스모스, 국화, 채송화 등
p.36
같은 그림 만들기
p.37
시간 순서대로 맞히기
3 > 4 > 1 > 2
p.38
단어 찾기
모 장 히 야 신 제
해 무 개 나 진 비
바 지 궁 송 과 꽃
라 수 선 화 봉 숭
기 강 아 풀 백 합
하 진 달 래 접 패
p.39
다른 그림 찾기
수박, 바나나, 사과, 레몬, 딸기, 포도
p.40
그림자 찾기

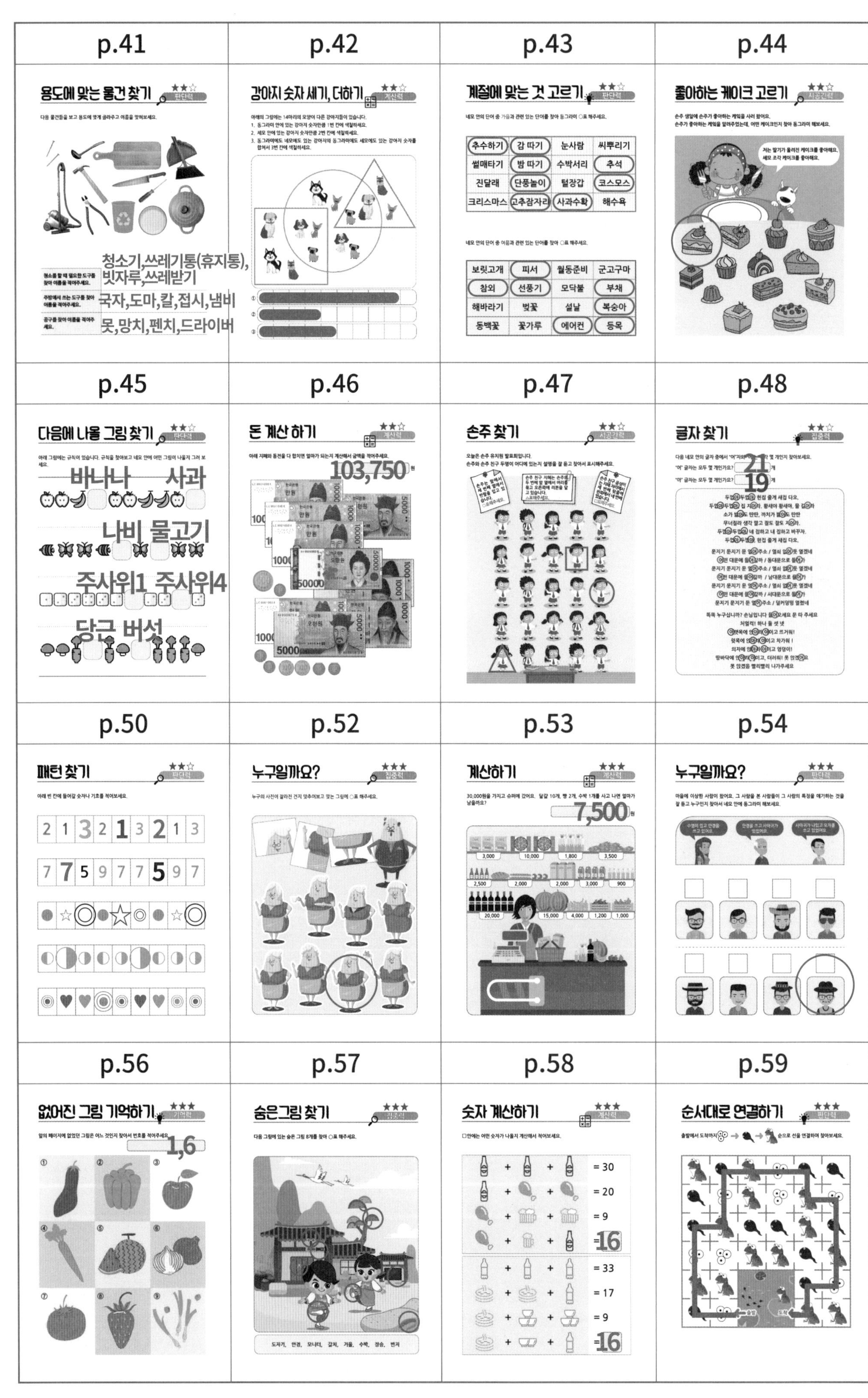
p.41
용도에 맞는 물건 찾기
판단력
청소기,쓰레기통(휴지통),
빗자루,쓰레받기
국자,도마,칼,접시,냄비
못,망치,펜치,드라이버
p.42
강아지 숫자 세기, 더하기
계산력
p.43
계절에 맞는 것 고르기
판단력
추수하기
감 따기
눈사람
씨뿌리기
썰매타기
밤 따기
수박서리
추석
진달래
단풍놀이
털장갑
코스모스
크리스마스
고추잠자리
사과수확
해수욕
보릿고개
피서
월동준비
군고구마
참외
선풍기
모닥불
부채
해바라기
벚꽃
설날
복숭아
동백꽃
꽃가루
에어컨
등목
p.44
좋아하는 케이크 고르기
p.45
다음에 나올 그림 찾기
판단력
바나나
사과
나비
물고기
주사위1
주사위4
당근
버섯
p.46
돈 계산 하기
계산력
103,750
p.47
손주 찾기
p.48
글자 찾기
집중력
21
19
p.50
패턴 찾기
판단력
p.52
누구일까요?
집중력
p.53
계산하기
계산력
7,500
p.54
누구일까요?
판단력
p.56
없어진 그림 기억하기
기억력
1,6
p.57
숨은그림 찾기
집중력
p.58
숫자 계산하기
계산력
= 30
= 20
= 9
=16
= 33
= 17
= 9
=16
p.59
순서대로 연결하기
판단력

p.61

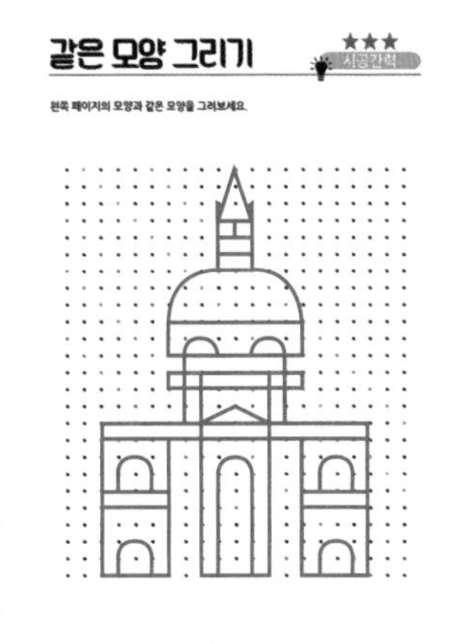

같은 모양 그리기 ★★★ 시공간력

왼쪽 페이지의 모양과 같은 모양을 그려보세요.

p.62

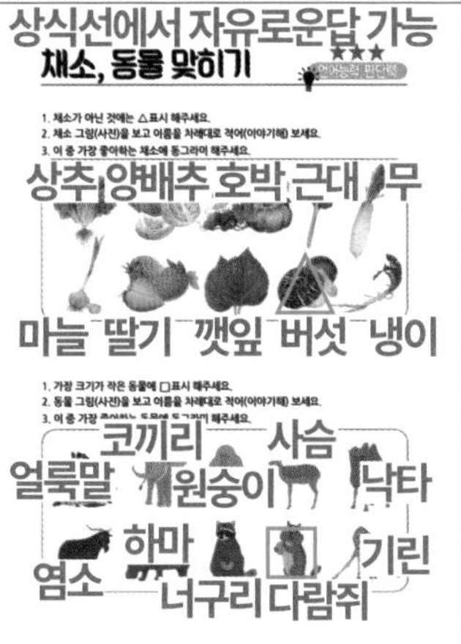

상식선에서 자유로운답 가능

채소, 동물 맞히기 ★★★ 언어능력, 판단력

1. 채소가 아닌 것에는 △표시 해주세요.
2. 채소 그림(사진)을 보고 이름을 차례대로 적어(이야기해) 보세요.
3. 이 중 가장 좋아하는 채소에 동그라미 해주세요.

상추 양배추 호박 근대 무
마늘 딸기 깻잎 버섯 냉이

1. 가장 크기가 작은 동물에 □표시 해주세요.
2. 동물 그림(사진)을 보고 이름을 차례대로 적어(이야기해) 보세요.
3. 이 중 가장 좋아하는 동물에 동그라미 해주세요.

코끼리 사슴
얼룩말 원숭이 낙타
염소 하마 너구리 다람쥐 기린

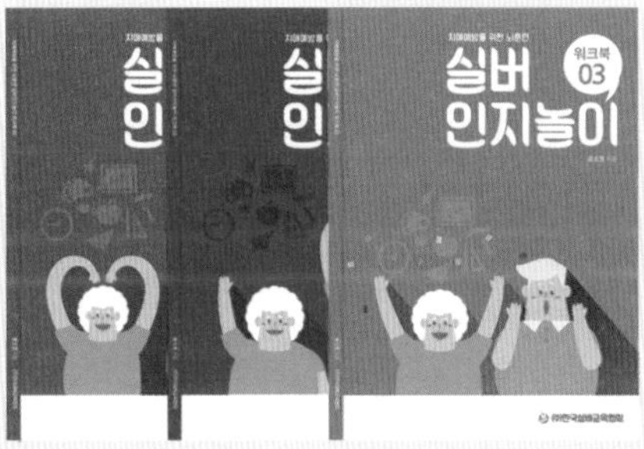

p.63

틀린 그림 찾기 ★★★ 집중력

위의 그림과 아래의 그림 중 틀린 부분을 찾아 아래 그림에 ○표 해주세요. 5군데 있습니다.

p.64

끝말잇기 미로 ★★★ 언어능력

그림을 보고 끝말 나비 〉비행기〉 차례상〉 상자〉 자전거〉 거미〉 미꾸라지〉 지구본

출발 / 도착

p.65

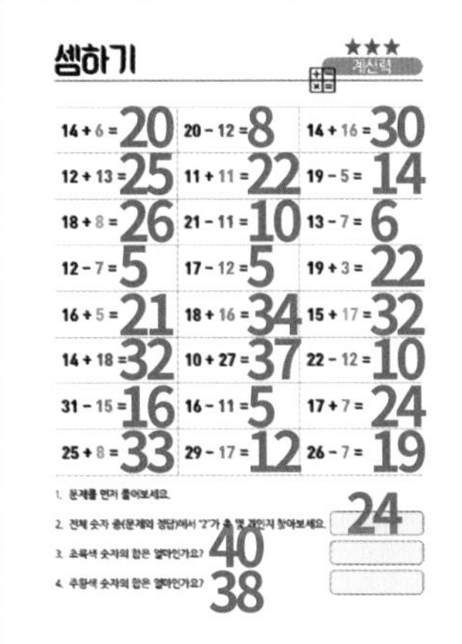

셈하기 ★★★ 계산력

14 + 6 = 20	20 − 12 = 8	14 + 16 = 30
12 + 13 = 25	11 + 11 = 22	19 − 5 = 14
18 + 8 = 26	21 − 11 = 10	13 − 7 = 6
12 − 7 = 5	17 − 12 = 5	19 + 3 = 22
16 + 5 = 21	18 + 16 = 34	15 + 17 = 32
14 + 18 = 32	10 + 27 = 37	22 − 12 = 10
31 − 15 = 16	16 − 11 = 5	17 + 7 = 24
25 + 8 = 33	29 − 17 = 12	26 − 7 = 19

1. 문제를 먼저 풀어보세요.
2. 전체 숫자 중(문제의 정답)에서 "2"가 총 몇 개인지 찾아보세요. 24
3. 초록색 숫자의 합은 얼마인가요? 40
4. 주황색 숫자의 합은 얼마인가요? 38

p.66

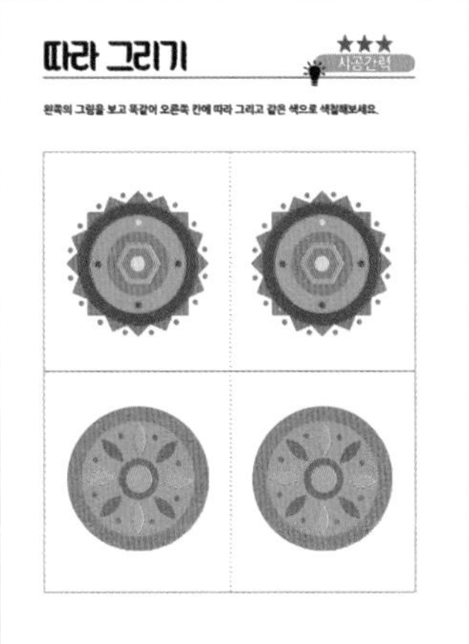

따라 그리기 ★★★ 시공간력

왼쪽의 그림을 보고 똑같이 오른쪽 칸에 따라 그리고 같은 색으로 색칠해보세요.

p.68

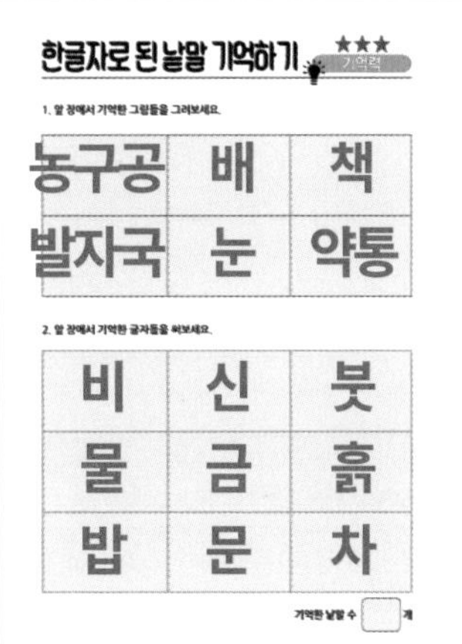

한글자로 된 낱말 기억하기 ★★★ 기억력

1. 앞 장에서 기억한 그림들을 그려보세요.

농구공	배	책
발자국	눈	약통

2. 앞 장에서 기억한 글자들을 써보세요.

비	신	붓
물	금	흙
밥	문	차

기억한 낱말 수 [ ] 개

p.69

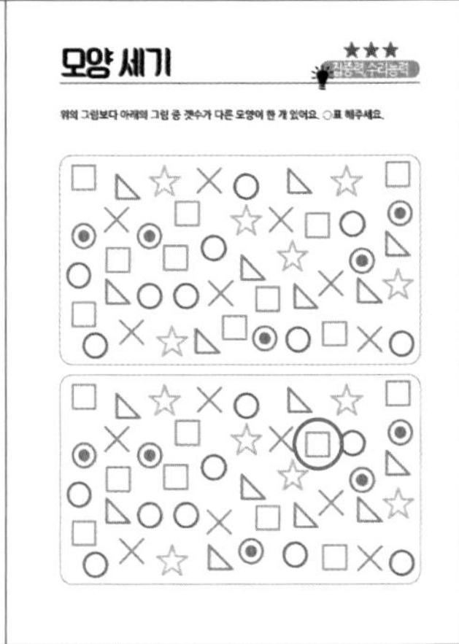

모양 세기 ★★★ 집중력, 수리능력

위의 그림보다 아래의 그림 중 갯수가 다른 모양이 한 개 있어요. ○표 해주세요.

저/자/소/개

윤소영 on-edu@nate.com

건국대학교를 졸업하고, 건국대학교 교육대학원에서 학습•진로컨설팅 및 평가과정을 공부하며 유아에서 노인에 이르는 전 생애에 걸친 다양한 교육의 필요성을 더욱 절감하게 되었다. 현재 (주)한국실버교육협회 대표이사, (주)하자교육연구소 및 하자교육컨설팅 대표, 한국영상대학교 외래교수로 재직하고 있고 장기요양기관 심사위원으로도 활동하였다. 치매예방 및 노인을 위한 교재, 교구를 개발•보급하면서 치매예방 온라인교육 플랫폼 인지넷, 내봄 평생교육원도 함께 운영하고 있다. 주요 저서로는『치매예방과 관리』『치매예방을 위한 뇌훈련 실버인지놀이 워크북 01권, 03권』『치매예방을 위한 회상활동 추억 색칠하기+인지 워크북』『치매예방을 위한 회상활동 추억 색칠하기+인지 워크북 – 추억놀이편』『치매예방을 위한 회상활동 추억 색칠하기+인지 워크북 – 추억놀이편 플러스』『치매예방을 위한 뇌훈련 실버인지 속담놀이 워크북』『치매예방 두뇌 트레이닝 추억의 퀴즈 테마 워크북 1권, 2권』『노인회상 이야기카드』『마음읽기 감정카드』『추억놀이 회상카드』『실전 전래놀이 운영 프로그램』『재미있고 실용적인 시니어 책놀이 운영 프로그램』『실버 인지미술 운영 프로그램』『자녀에게 남기는 인생 기록 부모 자서전』『공감대화를 위한 사진 질문카드』『단어 상식&어휘력 향상 두뇌운동 단어퀴즈 워크북』등이 있다.

치매예방을 위한 뇌훈련
실버인지놀이 워크북 02

1판 1쇄 발행 ● 2018년 10월 1일
1판 19쇄 발행 ● 2024년 11월 8일

지 은 이 ● 윤소영
펴 낸 곳 ● **(주)한국실버교육협회**
경기도 성남시 분당구 운중로 122 601호
디 자 인 ● (주)경상매일신문 디자인사업국
대표전화 ● 02-313-0013
홈페이지 ● www.ksea.co.kr
www.injinet.kr
이 메 일 ● ksea7777@daum.net
I S B N ● 979-11-964859-2-4

정가 12,500원

이 도서의 국립중앙도서관 출판예정도서목록(CIP)은 서지정보유통지원시스템 홈페이지(http://seoji.nl.go.kr)와 국가자료종합목록시스템(http://www.nl.go.kr/kolisnet)에서 이용하실 수 있습니다. (CIP제어번호 : CIP2018029987)